do amor e outros demônios

Obras do autor

O amor nos tempos do cólera
A aventura de Miguel Littín clandestino no Chile
Cem anos de solidão
Cheiro de goiaba
Crônica de uma morte anunciada
Do amor e outros demônios
Doze contos peregrinos
Em agosto nos vemos
Os funerais da Mamãe Grande
O general em seu labirinto
A incrível e triste história da cândida Erêndira e sua avó desalmada
Memória de minhas putas tristes
Ninguém escreve ao coronel
Notícia de um sequestro
Olhos de cão azul
O outono do patriarca
Relato de um náufrago
A revoada (O enterro do diabo)
O veneno da madrugada (A má hora)
Viver para contar

Obra jornalística

Vol. 1 – Textos caribenhos (1948-1952)
Vol. 2 – Textos andinos (1954-1955)
Vol. 3 – Da Europa e da América (1955-1960)
Vol. 4 – Reportagens políticas (1974-1995)
Vol. 5 – Crônicas (1961-1984)
O escândalo do século

Obra infantojuvenil

A luz é como a água
María dos Prazeres
A sesta da terça-feira
Um senhor muito velho com umas asas enormes
O verão feliz da senhorita Forbes
Maria dos Prazeres e outros contos (com Carme Solé Vendrell)

Antologia

A caminho de Macondo

Teatro

Diatribe de amor contra um homem sentado

Com Mario Vargas Llosa

Duas solidões: um diálogo sobre o romance na América Latina

GABRIEL GARCIA MARQUEZ

do amor e outros demônios

TRADUÇÃO DE
MOACIR WERNECK DE CASTRO

36ª edição

EDITORA RECORD
RIO DE JANEIRO • SÃO PAULO
2025

CIP-BRASIL. CATALOGAÇÃO NA FONTE
SINDICATO NACIONAL DOS EDITORES DE LIVROS, RJ

G211d
García Márquez, Gabriel, 1927-2014
Do amor e outros demônios / Gabriel García Márquez; 36ª ed. tradução de Moacir Werneck de Castro. – 36ª ed. – Rio de Janeiro: Record, 2025.

Tradução de: Del amor y otros demonios
ISBN 978-85-01-04228-6

1. Romance colombiano. I. Castro, Moacir Werneck de. II. Título.

94-0806
CDD: 868.993613
CDU: 860(861)-3

Título original espanhol:
DEL AMOR Y OTROS DEMONIOS

Copyright © 1994 by Gabriel García Márquez

Texto revisado segundo o Acordo Ortográfico da Língua Portuguesa 1990.

Direitos exclusivos de publicação em língua portuguesa somente para o Brasil adquiridos pela
EDITORA RECORD LTDA.
Rua Argentina, 171 – Rio de Janeiro, RJ – 20921-380 – Tel.: (21) 2585-2000, que se reserva a propriedade literária desta tradução.

Impresso no Brasil

ISBN 978-85-01-04228-6

Seja um leitor preferencial Record.
Cadastre-se no site www.record.com.br e receba informações sobre nossos lançamentos e nossas promoções.

EDITORA AFILIADA

Atendimento e venda direta ao leitor:
sac@record.com.br

Para Carmen Balcells
banhada em lágrimas

Parece que os cabelos hão de ressuscitar muito menos que as outras partes do corpo.

TOMÁS DE AQUINO
Da integridade dos corpos ressuscitados
(questão 80, cap. 5)

Não foi um dia de grandes notícias aquele 26 de outubro de 1949. Mestre Clemente Manuel Zabala, chefe de redação do jornal onde eu fazia minhas primeiras letras de repórter, encerrou a reunião da manhã com duas ou três sugestões de rotina. Não deu tarefa concreta a nenhum redator. Minutos depois soube por um telefonema que estavam esvaziando as criptas funerárias do antigo convento de Santa Clara, e me ordenou sem muita convicção:

— Vá até lá e veja o que consegue.

O convento histórico das clarissas, que há um século se converteu em hospital, ia ser vendido para construírem no lugar um hotel de cinco estrelas. Sua bonita capela estava quase toda exposta à intempérie com o desmoronamento gradativo do telhado, mas nas criptas permaneciam enterradas três gerações de bispos e abadessas e outros personagens notáveis. A primeira medida era desocupá-las, entregar os despojos a quem os reclamasse e atirar o restante na vala comum.

Fiquei espantado com o primitivismo do método. Os operários destapavam os túmulos a picareta e enxadão, retiravam os ataúdes apodrecidos que se desfaziam ao menor movimento, e separavam os ossos das cinzas de barrilheira com pedaços de pano e cabelos murchos. Quanto mais ilustre o morto, mais árduo se tornava o trabalho, pois era preciso escavar nos escombros dos corpos e joeirar bem fino seus resíduos para resgatar as pedras preciosas e as joias.

O mestre de obras copiava os dados da lápide num caderno escolar, arrumava os ossos em montes separados, e em cima de cada um punha uma folha com o nome, para que não fossem confundidos. Assim, minha primeira visão ao entrar na igreja foi uma longa fila de montinhos de ossos, aquecidos pelo sol bárbaro de outubro que penetrava aos jorros pelas frinchas do teto, e sem outra identificação a não ser o nome escrito a lápis num pedaço de papel. Quase meio século depois, ainda sinto o estupor que me causou aquele terrível testemunho da passagem devastadora dos anos.

Ali estavam, entre muitos outros, um vice-rei do Peru e sua amante secreta; dom Toribio de Cáceres y Virtudes, bispo da diocese; várias abadessas do convento, entre elas a madre Josefa Miranda, e o bacharel em artes dom Cristóbal de Eraso, que dedicara meia vida a fabricar os artesoados. Havia uma cripta fechada com a lápide do segundo marquês de Casalduero, dom Ygnacio de Alfaro y Dueñas, mas ao ser aberta viu-se que estava vazia e não fora usada. Já os restos de sua marquesa, dona Olalla de Mendoza, estavam com sua pedra própria na cripta ao lado. O mestre de obras não lhe deu importância: era normal que um nobre crioulo tivesse ornamentado sua própria tumba e o sepultassem em outra.

No terceiro nicho do altar-mor, do lado do Evangelho, é que estava a notícia. A lápide saltou em pedaços ao primeiro golpe da picareta, e uma cabeleira viva, cor de cobre intensa, se espalhou para fora da cripta. O mestre de obras quis retirá-la inteira, com a ajuda de seus operários, e quanto mais a puxavam, mais comprida e abundante parecia, até que saíram os últimos fios, ainda presos a um crânio de menina. No nicho ficaram apenas uns ossinhos miúdos e dispersos, e na pedra carcomida pelo salitre só se lia um nome, sem sobrenomes: Sierva María de Todos los Ángeles. Estendida no chão, a cabeleira esplêndida media vinte e dois metros e onze centímetros.

O mestre de obras me explicou sem espanto que o cabelo humano crescia um centímetro por mês até depois da morte, e vinte e dois metros lhe pareciam uma boa média para duzentos anos. Já a mim não pareceu tão trivial, porque minha avó me contava em menino a lenda de uma marquesinha de doze anos cuja cabeleira se arrastava como a cauda de um vestido de noiva, que morreu de raiva causada pela mordida de um cachorro, e que era venerada no Caribe por seus muitos milagres. A ideia de que aquele túmulo pudesse ser dela foi a minha notícia do dia, e a origem deste livro.

Gabriel García Márquez
Cartagena de Índias, 1994

Um

Um cachorro cinzento com uma estrela na testa irrompeu pelos becos do mercado no primeiro domingo de dezembro, revirou mesas de frituras, derrubou barraquinhas de índios e toldos de loterias, e de passagem mordeu quatro pessoas que se atravessaram no seu caminho. Três eram escravos negros. A outra foi Sierva María de Todos los Ángeles, filha única do marquês de Casalduero, que fora com uma empregada mulata comprar uma fieira de guizos para a festa de seus doze anos.

Tinham recebido ordem de não passar do Portal dos Mercadores, mas a criada se aventurou até a ponte levadiça do arrabalde de Getsemaní, atraída pela bulha do porto negreiro, onde leiloavam um carregamento de escravos da Guiné. O barco da Companhia Gaditana de Negros era esperado com alarme havia uma semana, por ter ocorrido a bordo uma mortandade inexplicável. Procurando escondê-la, lançaram ao mar os cadáveres sem lastro. A maré montante os fez flutuar, e eles amanheceram na praia desfigurados pelo inchaço e com uma estranha coloração roxo-avermelhada. Fizeram ancorar o navio fora da baía, temendo que se tratasse do surto de alguma peste africana, até que comprovaram ter havido um envenenamento com frios estragados.

À hora em que o cachorro passou pelo mercado já tinham arrematado a carga sobrevivente, desvalorizada pelo seu péssimo estado de saúde, e tratavam de compensar a perda com uma única abissínia, de sete palmos de altura, untada com melaço em vez do óleo comercial de rigor, e de uma beleza tão perturbadora que parecia mentira. Tinha o nariz afilado, o crânio acabaçado, os olhos oblíquos, os dentes intactos e o porte equívoco de um gladiador romano. Não a ferraram no barracão, nem anunciaram sua idade e estado de saúde; puseram-na à venda por sua beleza apenas. O preço que o governador pagou por ela, sem regatear, e à vista, foi seu peso em ouro.

Era assunto de todo dia os cães sem dono morderem alguém quando andavam perseguindo gatos ou brigando com os urubus por alguma carniça de rua, e mais ainda nos tempos de abundâncias e multidões em que a Frota de Galeões passava para a feira de Portobelo. Quatro ou cinco mordidos num mesmo dia não tiravam o sono de ninguém, menos ainda com uma ferida como a de Sierva María, que mal se notava no tornozelo esquerdo. Por isso, a criada não se alarmou. Ela mesma fez na menina um curativo com limão e enxofre, lavou a mancha de sangue na saia, e ninguém continuou pensando em outra coisa a não ser na festança dos seus doze anos.

Bernarda Cabrera, mãe da menina e esposa sem títulos do marquês de Casalduero, tomara naquela madrugada um purgante dramático: sete grãos de antimônio num copo de açúcar rosado. Tinha sido uma mestiça bravia da chamada aristocracia de balcão; sedutora, rapace, farrista, e com uma avidez de ventre de saciar um quartel. Entretanto, em poucos anos se apagou do mundo devido ao abuso do mel fermentado e das barras de cacau. Obscureceram-se os seus olhos ciganos, acabou-se-lhe a viveza, obrava sangue e lançava bile, e seu antigo corpo de sereia ficou inchado e acobreado como o de um morto de três dias, e soltava umas ventosidades explosivas e pestilentas que assustavam os mastins. Pouco saía da alcova, e nessas ocasiões andava pelada, ou com uma bata de sarja sem nada por baixo, o que a fazia parecer mais nua do que sem nada em cima.

Tinha tido sete descargas de ventre quando voltou a criada que acompanhara Sierva María. Sem lhe dizer nada da mordida do cachorro, comentou o escândalo causado no porto pelo negócio da escrava.

— Se é tão bonita como dizem, pode ser abissínia — disse Bernarda. Mas mesmo que fosse a rainha de Sabá, não achava possível que a comprassem por seu peso em ouro.— Talvez quisessem dizer em pesos ouro.

— Não — explicaram. — Tanto ouro quanto a negra pesa.

— Uma escrava de sete palmos não pesa menos de cento e vinte libras — disse Bernarda. — E não há mulher nem negra nem branca que valha cento e vinte libras de ouro, a não ser que cague diamantes.

Ninguém tinha sido mais esperto que ela no comércio de escravos, e sabia que se o governador comprara a abissínia não devia ser para coisa tão sublime como servir em sua cozinha. Nisso pensava quando ouviu o som das primeiras charamelas e as bombas de festa, e a seguir o assanhamento da cachorrada presa. Saiu até o pomar de laranjeiras para ver o que se passava.

Dom Ygnacio de Alfaro y Dueñas, segundo marquês de Casalduero e senhor do Darién, de dentro de sua rede da sesta, pendurada entre duas laranjeiras, também escutara a música. Era um homem fúnebre, mal-humorado, e de uma palidez de lírio por causa da sangria que os morcegos lhe faziam durante o sono. Para andar em casa usava uma djellaba de beduíno e um gorro de Toledo que aumentava o seu ar de desamparo. Ao ver a mulher como Deus a pôs no mundo, antecipou a pergunta:

— Que músicas são essas?

— Não sei — disse ela. — A quantas andamos?

O marquês não sabia. Devia mesmo estar muito inquieto para fazer a pergunta à esposa, e ela muito aliviada de sua bile para lhe responder sem um sarcasmo. Sentou na rede, intrigado, quando se repetiram as bombas.

— Santo Deus — exclamou. — A quantas andamos!

Vizinho à casa ficava o manicômio de mulheres da Divina Pastora. Alvoroçadas pela música e pelo foguetório, as reclusas tinham assomado ao terraço que dava para o pomar das laranjeiras, e festejavam cada explosão com ovações. O marquês perguntou-lhes aos gritos onde havia festa, e elas o informaram. Era 7 de dezembro, dia de Santo Ambrósio, bispo, e a música e a pólvora troavam no pátio dos escravos em honra de Sierva María. O marquês deu uma palmada na testa.

— Claro — disse. — Quantos anos faz?

— Doze — disse Bernarda.

— Só doze? — disse ele, tornando a se deitar na rede. — Que vida mais lenta!

A casa tinha sido o orgulho da cidade até o começo do século. Agora estava arruinada e lôbrega, parecendo em estado de mudança, com grandes espaços vazios e muitas coisas fora de lugar. Nos salões ainda restavam os pisos de mármores axadrezados e alguns lampiões de lágrimas com teias de aranha penduradas. Os aposentos que se mantinham vivos eram frescos em qualquer tempo, graças à espessura das paredes de alvenaria e aos muitos anos de fechados, e mais ainda graças aos ventos de dezembro que se infiltravam assobiando pelas frestas. Tudo estava saturado pela umidade opressiva do abandono e pela escuridão. A única coisa que sobrava das veleidades senhoriais do primeiro marquês eram os cinco mastins de presa que vigiavam as noites.

O barulhento pátio dos escravos, onde se festejavam os aniversários de Sierva María, tinha sido outra cidade dentro da cidade no tempo do primeiro marquês. Assim continuou com o herdeiro enquanto persistiu o comércio escuso de escravos e farinha que Bernarda dirigia com a mão esquerda, do trapiche de Mahates. Agora todo esplendor era coisa do passado. Bernarda estava aniquilada pelo vício insaciável, e o pátio reduzido a dois barracões de madeira com tetos de folhas de palmeira, onde acabaram de se consumir os últimos restos de grandeza.

Dominga de Adviento, uma negra de lei que governou a casa com pulso de ferro até a véspera de sua morte, fazia a ligação entre aqueles dois mundos. Alta e ossuda, de uma inteligência quase clarividente, ela é que criara Sierva María. Tornara-se católica sem renunciar a sua fé iorubá, e praticava as duas ao mesmo tempo, sem ordem nem acordo. Sua alma estava em santa paz, dizia, porque o que lhe faltava numa ia buscar na outra. Era também o único ser humano com autoridade para servir de mediadora entre o marquês e sua esposa, e ambos gostavam dela. Só ela separava a vassouradas os escravos surpreendidos em sem-vergonhices de sodomia ou fornicando com mulheres trocadas nos quartos vazios. Mas desde que morreu, eles escapavam das barracas fugindo aos calores do meio-dia, e viviam estirados pelo chão em qualquer lugar, ou raspando panelas para comer restos de arroz, jogando *macuco* e *tarabilla* na fresca dos corredores. Naquele mundo opressivo em que ninguém era livre, Sierva María o era: só ela e só ali. Por isso era ali que se celebrava a festa, em sua verdadeira casa e com sua verdadeira família.

Não se podia imaginar bailarico mais taciturno no meio de tanta música, com os escravos próprios e os de outras casas de gente distinta que traziam o que podiam. A menina se mostrava tal como era. Dançava com mais graça e donaire que os africanos de nação, cantava com vozes diferentes da sua nas diversas línguas da África, ou com vozes de pássaros e animais, que desconcertavam os próprios negros. Por ordem de Dominga de Adviento, as escravas mais jovens pintavam-lhe a cara com fuligem, penduravam colares de candomblé por cima do escapulário do batismo e ajeitavam-lhe o cabelo, jamais cortado, que atrapalharia o caminhar não fossem as tranças de muitas voltas que lhe faziam todo dia.

Ela começava a florescer numa encruzilhada de forças contrárias. Tinha muito pouco da mãe. Do pai tinha o corpo esquálido, a timidez irremissível, a pele lívida, os olhos de um azul merencório, e o cobre puro da cabeleira radiosa. Seu modo de ser era tão misterioso que parecia uma criatura invisível. Assustada com tão estranha condição, a mãe lhe pendurava uma campainha no pulso para não perder o seu rumo na penumbra da casa.

Dois dias depois da festa, e quase por distração, a criada contou a Bernarda que um cachorro tinha mordido Sierva María. Bernarda pensou naquilo quando, antes de se deitar, tomava o seu sexto banho quente com sabonetes olorosos, mas antes de voltar ao quarto já esquecera. A lembrança só lhe voltou na noite seguinte, porque os cães latiram até o amanhecer, e ela temeu que estivessem raivosos. Então, segurando uma lâmpada a óleo, foi até as tendas do pátio e encontrou Sierva María adormecida na rede de palma real índia que herdara de Dominga de Adviento. Como a criada não lhe havia contado onde era a mordida, levantou a camisola e a examinou palmo a palmo, acompanhando com a luz a trança que tinha enroscada no corpo como uma cauda de leão. Afinal encontrou a dentada: um rasgão no tornozelo esquerdo, já com uma crosta de sangue seco, e umas escoriações quase invisíveis no calcanhar.

Não eram poucos nem banais os casos de raiva na história da cidade. O mais rumoroso foi o de um pelotiqueiro que andava pelas ruas com um mico amestrado cujas maneiras pouco se distinguiam das humanas. O animal contraiu raiva durante o sítio naval dos ingleses, mordeu o dono na cara e fugiu para os montes próximos

O infeliz saltimbanco foi morto a pauladas, em meio a umas alucinações pavorosas que as mães continuavam contando muitos anos depois em coplas populares para assustar as crianças. Daí a umas duas semanas desceu dos morros em pleno dia um bando de macacos endemoninhados. Fizeram estragos em chiqueiros e galinheiros e irromperam na catedral guinchando e afogando-se em espumaradas de sangue, enquanto se celebrava um te-déum pela derrota da esquadra inglesa. Contudo, os dramas mais terríveis não passavam à história, pois ocorriam entre a população negra, onde os mordidos sumiam para ser tratados com mágicas africanas nas paliçadas de quilombolas.

Apesar de tantos escarmentos, nem brancos nem negros nem índios pensavam na raiva, ou em qualquer outra doença de incubação lenta, enquanto não se revelavam os primeiros sintomas irreparáveis. Bernarda Cabrera procedeu com o mesmo critério. Achava que as fabulações dos escravos iam mais rápido e mais longe que as dos cristãos, e que até uma simples mordida de cachorro podia causar dano à honra da família. Tão segura estava de suas razões que nem sequer mencionou o assunto ao marido, nem tornou a recordá-lo no domingo seguinte, quando a empregada foi sozinha ao mercado e viu o cadáver de um cachorro pendente de uma amendoeira para que se soubesse que tinha morrido de raiva. Bastou-lhe um olhar para reconhecer a estrela na testa e o pelame cinzento do cão que mordera Sierva María. Entretanto, Bernarda não se preocupou quando soube. Não havia por quê: a ferida estava seca e não ficara nem vestígio das escoriações.

*D*ezembro começou mal. Logo, porém, recobrou suas tardes de ametista e suas noites de ventos loucos. O Natal foi mais alegre que nos outros anos, em razão das boas notícias da Espanha. Mas a cidade não era a de antes. O mercado principal de escravos se trasladara para Havana, e os mineradores e donos de engenho dos reinos de Terra Firme preferiam comprar sua mão de obra de contrabando e a menor preço nas Antilhas inglesas. De modo que havia duas cidades: uma alegre e multitudinária durante os seis meses em que os galeões permaneciam no porto, e outra sonolenta no resto do ano, esperando que voltassem.

Nada mais se tornou a saber dos mordidos até o princípio de janeiro, quando uma índia andeja por nome Sagunta bateu à porta do marquês na hora sagrada da sesta. Era muito velha e andava descalça sob o sol, apoiando-se num cajado e embrulhada dos pés à cabeça num lençol branco. Tinha a má fama de ser remendadora de cabaços e aborteira, mas compensava-a com a virtude de conhecer segredos dos índios para fazer sarar os desenganados.

O marquês a recebeu com má vontade, de pé no vestíbulo, e demorou a entender o que ela queria, pois era mulher de muita circunspecção e circunlóquios arrevesados. Tantas voltas deu para chegar ao assunto que o marquês perdeu a paciência.

— Seja o que for, diga-me sem mais latins — disse.

— Estamos ameaçados por uma peste de mal de raiva — disse Sagunta — e eu sou a única que tenho as receitas de santo Huberto, patrono dos caçadores e curador dos danados.

— Não vejo razão para nenhuma peste — disse o marquês. — Não há anúncios de cometas nem de eclipses, que eu saiba, nem temos culpas tão grandes a ponto de Deus se ocupar de nós.

Sagunta informou-lhe que em março ia haver um eclipse total do sol e deu notícias completas dos mordidos no primeiro domingo de dezembro. Dois haviam desaparecido, certamente sequestrados pelos parentes para tratá-los com feitiços, e outro morrera de raiva na terceira semana. Havia um quarto que não foi mordido, mas apenas salpicado pela baba do mesmo cachorro, e estava agonizando no hospital do Amor de Deus. O aguazil-mor tinha mandado envenenar uma centena de cães sem dono no que restava do mês. Em mais uma semana não ficaria nem um só vivo na rua.

— Seja o que for, não percebo o que tenho eu a ver com isso — disse o marquês. — E ainda menos em hora tão imprópria.

— Sua filha foi a primeira pessoa mordida — disse Sagunta.

O marquês falou com grande convicção:

— Se assim fosse, eu seria o primeiro a saber.

Acreditava que a menina se sentia bem, e parecia-lhe impossível que uma coisa tão grave tivesse acontecido sem seu conhecimento. Assim, deu a entrevista por encerrada e foi terminar a sesta.

Não obstante, naquela tarde procurou Sierva María nos pátios de serviço. Ela estava ajudando a esfolar coelhos, o rosto pintado de preto, descalça e com o turbante vermelho das escravas. Perguntou-lhe se era verdade que tinha sido mordida por um cachorro, e ela, sem a menor dúvida, respondeu que não. Mas Bernarda o confirmou nessa noite. O marquês, confuso, indagou:

— E por que Sierva nega?

— Porque não há jeito dela dizer uma verdade nem por descuido.

— Então precisamos agir, porque o cachorro estava atacado de raiva — disse o marquês.

— Ao contrário — disse Bernarda —, o cachorro é que morreu por tê-la mordido. Isso foi em dezembro, e a descarada está como uma flor.

Ambos continuaram atentos aos rumores crescentes sobre a gravidade da peste, e embora a contragosto tiveram que conversar outra vez sobre assuntos que lhes eram comuns, como no tempo em que se odiavam menos. Para ele era claro. Sempre acreditou que amava a filha, mas o medo do mal de raiva o obrigava a confessar que se enganava a si mesmo por uma questão de simples comodismo. Já Bernarda nem sequer se interrogou, porque tinha plena consciência de que não a amava nem era amada por ela, e ambas as coisas lhe pareciam justas. Muito do ódio que sentiam pela menina se devia ao que havia nela de um e de outro. Bernarda, porém, estava disposta a representar a farsa das lágrimas e guardar um luto de mãe sofredora para preservar sua honra, desde que a causa da morte da menina fosse digna.

— Seja lá o que for — frisou —, mas doença de cachorro, não.

Naquele instante, como por obra de uma revelação celestial, o marquês compreendeu qual era o sentido de sua vida.

— A menina não vai morrer — disse, resoluto. — Mas se tem de morrer, há de ser do que Deus dispuser.

Na terça-feira, foi ao hospital do Amor de Deus, no morro de São Lázaro, para ver o raivoso de que Sagunta dera notícia. Não teve consciência de que sua carruagem de crepes funéreos ia ser vista como mais um anúncio das desgraças que vinham incubando, pois desde muitos anos só saía de casa nas grandes ocasiões, e desde outros tantos não havia ocasiões maiores que as infaustas.

A cidade estava afundada em seu marasmo de séculos, mas não faltou quem vislumbrasse o rosto macilento e os olhos fugazes do cavalheiro incerto com seus tafetás de luto, cuja carruagem abandonou o recinto amuralhado para atravessar o campo até o morro de São Lázaro. No hospital, os leprosos jogados no chão de tijolos o viram entrar com seus passos de morto e lhe barraram o caminho pedindo esmola. No pavilhão dos furiosos sem remédio, amarrado a um poste, estava o raivoso.

Era um mulato velho, com a cabeça e a barba algodoadas. Já tinha metade do corpo paralisada, mas a raiva infundira tanta força à outra metade que precisaram amarrá-lo para não se despedaçar de encontro à parede. Seu relato não deixava dúvida de que fora mordido pelo mesmo cachorro cinzento de estrela na testa que mordera Sierva María. E de fato o cão babara em cima dele, mas não na pele sã, e sim numa ferida crônica que tinha na barriga da perna. Essa informação não foi bastante para tranquilizar o marquês, que deixou o hospital horrorizado com a visão do moribundo e sem uma luz de esperança para Sierva María.

Quando voltava à cidade pela encosta do morro, encontrou um homem de boa aparência sentado numa pedra do caminho junto a seu cavalo morto. O marquês mandou parar o coche, e só quando o homem ficou de pé, reconheceu o licenciado Abrenuncio de Sá Pereira Cão, o médico mais notável e discutido da cidade. Era igualzinho ao rei de paus. Trazia um chapéu de abas grandes para protegê-lo do sol, botas de montaria e a capa negra dos libertos letrados. Cumprimentou o marquês com uma cerimônia pouco usual.

— *Benedictus qui venit in nomine veritatis* — disse.

O coração do cavalo não resistiu ao descer pelo mesmo caminho que subira a trote, e arrebentou. Neptuno, o cocheiro do marquês, quis desarrear o animal, mas o dono o dissuadiu.

— Para que vou querer arreio se não tenho a quem arrear — disse. — Deixa apodrecer com ele.

O cocheiro precisou ajudá-lo a subir na carruagem, dado o seu físico pueril, e o marquês teve a atenção de fazê-lo sentar à sua direita. Abrenuncio pensava no cavalo.

— É como se a metade do meu corpo tivesse morrido — suspirou.

— Nada é tão fácil de resolver quanto a morte de um cavalo — disse o marquês.

Abrenuncio animou-se.

— Esse era diferente — disse. — Se eu tivesse recursos, mandava enterrá-lo em terra sagrada. — Olhou para o marquês à espera de sua reação e concluiu: — Em outubro fez cem anos.

— Não há cavalo que viva tanto — disse o marquês.

— Posso provar — disse o médico.

Trabalhava às terças-feiras no Amor de Deus, assistindo aos leprosos doentes de outros males. Tinha sido aluno ilustrado do licenciado João Mendes Neto, outro português que emigrara para o Caribe por motivo da perseguição na Espanha, e dele herdara a má fama de necromante e maldizente, mas ninguém punha em dúvida sua sabedoria. Eram constantes e até sangrentas suas disputas com outros médicos, que não lhe perdoavam os acertos inverossímeis nem os métodos insólitos. Inventou uma pílula a ser tomada uma vez por ano que melhorava o estado de saúde e prolongava a vida, mas causava tais perturbações do juízo nos três primeiros dias que só ele se arriscava a tomá-la. Em outros tempos costumava tocar harpa à cabeceira dos doentes para sedá-los com certa música adrede composta. Não praticava a cirurgia, que sempre considerou uma arte inferior, própria de curandeiros e barbeiros, e sua especialidade aterradora era predizer para os enfermos o dia e a hora em que iam morrer. Contudo, tanto a sua boa fama quanto a má se baseavam num mesmo fato: dizia-se, e ninguém jamais o desmentiu, que tinha ressuscitado um morto.

Apesar de sua experiência, Abrenuncio estava comovido com o raivoso.

— O corpo humano não foi feito para os anos que a pessoa é capaz de viver — disse.

O marquês não perdeu uma palavra de sua dissertação minuciosa e colorida, e só falou quando o médico não teve mais nada a dizer.

— Que se pode fazer com esse pobre homem? — perguntou.

— Matá-lo — disse Abrenuncio.

O marquês olhou-o surpreendido.

— Pelo menos é o que faríamos se fôssemos bons cristãos — prosseguiu o médico, impassível. — E não se assuste, senhor: há mais cristãos bons do que se crê.

Referia-se na realidade aos cristãos pobres de qualquer cor, nos arrabaldes e no campo, que tinham a coragem de misturar veneno na comida dos seus parentes raivosos para evitar-lhes o horror dos últimos momentos. No fim do século anterior uma família inteira tomou uma sopa envenenada porque ninguém teve a coragem de envenenar sozinho um menino de cinco anos.

— Acredita-se que nós, médicos, não sabemos que essas coisas acontecem — concluiu Abrenuncio. — Não há tal. O que nos falta é autoridade moral para assumi-las. Em vez disso, fazemos com os moribundos o que o senhor acaba de ver: os encomendamos a Santo Huberto e amarramos a um poste para que possam agonizar pior e por mais tempo.

— Não há outro recurso? — perguntou o marquês.

— Depois dos primeiros ataques de raiva não há recurso algum — disse o médico. Falou de tratados alegres que consideravam curável a doença, com base em diversas fórmulas: a hepática terrestre, o cinábrio, o almíscar, o mercúrio argentino, o *Anagallis flore purpureo*. Prosseguiu: — Tudo bobagens. O que se dá é que uns são acometidos de raiva e outros não, e fica fácil dizer que estes escaparam por causa do remédio. — Procurou com os olhos o marquês e arrematou: — Por que tem tanto interesse?

— Por piedade — mentiu o marquês.

Contemplou na janela o mar posto em letargo pelo tédio das quatro, e notou com o coração oprimido que as andorinhas estavam de volta. A brisa ainda não começara. Um grupo de meninos caçava a pedradas um alcatraz extraviado numa praia pantanosa, e o marquês o seguiu em seu voo fugitivo até o ver perder-se entre as cúpulas cintilantes da cidade fortificada.

A carruagem entrou no recinto das muralhas pela porta de terra da Meia Lua, e Abrenuncio guiou o cocheiro até a sua casa, através do ruidoso bairro dos artesãos. Não foi fácil. Neptuno tinha mais de setenta anos, era indeciso e míope, e estava habituado a que o cavalo seguisse sozinho pelas ruas que conhecia melhor que ele. Quando afinal deram com a casa, Abrenuncio se despediu na porta com uma frase de Horácio.

— Não sei latim — desculpou-se o marquês.

— Não é preciso — disse Abrenuncio. E citou mesmo em latim.

O marquês ficou tão impressionado que o seu primeiro ato ao voltar para casa foi o mais extraordinário de sua vida. Ordenou que Neptuno fosse ao morro de São Lázaro recolher o cavalo morto e o enterrasse em terra sagrada, e que no dia seguinte bem cedo mandasse a Abrenuncio o melhor cavalo de sua cocheira.

*D*epois do alívio efêmero dos purgantes de antimônio, Bernarda se aplicava lavagens até três vezes ao dia para sufocar o incêndio de suas vísceras, ou afundava em banhos quentes com sabonetes perfumados até seis vezes, para temperar os nervos. Já nada lhe restava então do que fora ao se casar, quando concebia aventuras comerciais que levava à prática com uma certeza de adivinha, tais eram os seus sucessos, até a malfadada tarde em que conheceu Judas Iscariotes e foi arrebatada pela desgraça.

Encontrou-o por acaso num rodeio de feira, lutando no braço, quase nu e sem nenhuma proteção, contra um touro de lida. Era tão belo e corajoso que não pôde esquecê-lo. Dias depois tornou a vê-lo num cumbé de carnaval a que ela assistia fantasiada de mendiga e com máscara, rodeada por suas escravas em trajes de marquesa, com gargantilhas, pulseiras e brincos de ouro e pedras preciosas. Judas estava no centro de uma roda de curiosos, dançando com quem lhe pagasse, e fora preciso impor ordem para acalmar as ânsias das pretendentes. Bernarda lhe perguntou quanto custava e ele respondeu dançando:

— Meio real.

Bernarda tirou a máscara.

— O que quero saber é quanto custas para toda a vida — disse.

Judas viu que a cara descoberta não era de mendiga. Soltou seu par e aproximou-se dela andando com meneios de grumete para se valorizar.

— Quinhentos pesos ouro — disse.

Ela o mediu com olho de avaliadora juramentada. Era enorme, com pele de foca, torso bombeado, ancas estreitas e pernas espigadas e com mãos plácidas que negavam o seu ofício. Bernarda calculou:

— Medes oito palmos.

— Mais três polegadas — disse ele.

Ela o fez baixar a cabeça para lhe examinar a dentadura, e ficou perturbada com o hálito de amoníaco das suas axilas. Os dentes eram perfeitos, sãos e bem-alinhados.

— Teu senhor deve estar louco se acha que alguém vai te comprar a preço de cavalo — disse Bernarda.

— Sou livre e me vendo eu mesmo — respondeu ele. E rematou com um tom especial: — Senhora.

— Marquesa — disse ela.

Ele fez uma reverência de cortesão que a deixou sem fôlego. Comprou-o pela metade do que pedia. "Só pelo prazer da vista", segundo disse. Em troca, respeitou-lhe a condição de livre e o tempo para continuar com seu touro de circo. Instalou-o num quarto próximo ao seu, que tinha sido do moço da cavalariça, e esperou-o desde a primeira noite, nua e com a porta destrancada, certa de que ele viria sem ser convidado. Mas teve de esperar duas semanas sem dormir em paz, tantos eram os ardores do corpo.

Na realidade, logo que soube quem era ela e viu a casa por dentro, ele recuperou sua distância de escravo. Entretanto, quando Bernarda deixou de esperá-lo e voltou a dormir de camisola, com a porta trancada, ele entrou pela janela. Despertou-a o ar do quarto rarefeito por seu fartum amoniacal. Sentiu o resfolegar de minotauro procurando-a às apalpadelas no escuro, o fogaréu do corpo em cima dela, as mãos de presa que agarraram a camisola à altura do pescoço e a rasgaram de cima a baixo, enquanto lhe roncava ao ouvido. "Puta, puta." Desde essa noite ela soube que não queria mais outra coisa na vida.

Ficou louca por ele. Iam de noite aos bailes de lampião nos arrabaldes, ele vestido de cavalheiro, com sobrecasaca e chapéu-coco que Bernarda comprava obedecendo ao seu gosto, ela a princípio fantasiada de qualquer coisa, e depois com a própria cara. Deu-lhe um banho de ouro, com correntes, anéis e pulseiras, e o fez incrustar diamantes nos dentes. Achou que ia morrer quando percebeu que ele se deitava com todas as que encontrava em seu caminho, mas afinal se acostumou às sobras. Foi por esse tempo em que Dominga de Adviento entrou em seu dormitório à hora da sesta, pensando que Bernarda estava no trapiche, e os surpreendeu pelados fazendo amor no chão. A escrava, de mão na aldraba, ficou mais deslumbrada que atônita.

— Não fiques aí como uma morta — gritou Bernarda. — Ou vai embora ou vem rolar aqui conosco.

Dominga de Adviento fugiu com uma batida de porta que soou para Bernarda como uma bofetada. Chamou-a aquela noite e a ameaçou com castigos atrozes se fizesse o menor comentário sobre o que tinha visto.

— Não se preocupe, minha branca — disse a escrava. — A senhora pode me proibir o que quiser, e eu obedeço. — E concluiu: — Só não pode proibir o que eu penso.

Se o marquês soube, fez-se de desentendido. Afinal, Sierva María era a única coisa que lhe restava em comum com a esposa, e não a considerava como filha sua, mas só dela. Bernarda, por sua parte, nem sequer pensava na menina. Tanto a esquecia que de regresso de uma de suas longas temporadas no trapiche a confundiu com outra, tão crescida e diferente estava. Chamou-a, examinou-a, interrogou-a sobre sua vida, mas não lhe arrancou uma só palavra.

— És igual a teu pai— disse-lhe. — Um monstro.

Esse continuava sendo o estado de espírito de ambos no dia em que o marquês voltou do hospital do Amor de Deus e anunciou a Bernarda sua decisão de assumir com mão de guerra as rédeas da casa. Havia em sua urgência algo frenético que deixou a mulher sem resposta.

A primeira coisa que fez foi devolver à menina o quarto de dormir de sua avó marquesa, de onde fora tirada para dormir com os escravos. O esplendor de outrora permanecia intacto debaixo do pó: a cama imperial que a criadagem pensava ser de ouro, tal o brilho de seus cobres; o mosquiteiro de gazes de noiva, as ricas vestes de passamanaria, o lavatório de alabastro com numerosos frascos de perfumes e pomadas alinhados em ordem marcial sobre o toucador; o urinol portátil, a escarradeira e o vomitório de porcelana, o mundo de fantasia que a anciã imobilizada pelo reumatismo sonhava para a filha que não teve e a neta que nunca viu.

Enquanto as escravas ressuscitavam o dormitório, o marquês se ocupou em ditar a sua lei na casa. Espantou os escravos que dormitavam à sombra das arcadas e ameaçou com açoites e masmorra os que tornassem a fazer suas necessidades pelos cantos ou jogassem perde-ganha nos quartos fechados. Não eram disposições novas. Tinham sido muito mais rigorosas quando Bernarda estava no comando e Dominga de Adviento na vigilância, e o marquês alardeava em público a sua sentença histórica: "Na minha casa se faz o que eu obedeço." Mas desde que Bernarda sucumbiu nos atoleiros do cacau e Dominga de Adviento morreu, os escravos voltaram a se infiltrar com grande sigilo, primeiro as mulheres com suas crias para ajudar nos ofícios miúdos, depois os homens ociosos em busca da fresca dos corredores. Apavorada com o fantasma da ruína, Bernarda mandava-os arranjar comida mendigando na rua. Numa de suas crises, resolveu alforriá-los, exceto três ou quatro do serviço doméstico, mas o marquês se opôs com uma desrazão:

— Se é para morrerem de fome, melhor que morram aqui e não por esses cafundós.

Não se ateve a fórmulas tão fáceis quando o cachorro mordeu Sierva María. Investiu de poderes o escravo que lhe pareceu de mais autoridade e maior confiança, dando instruções cuja severidade espantou a própria Bernarda. Ao anoitecer, quando a casa estava pela primeira vez em ordem desde a morte de Dominga de Adviento, encontrou Sierva María no alojamento das escravas, com meia dúzia de jovens negras que dormiam nas redes entrecruzadas em diferentes níveis. Acordou todas para dar as ordens do novo governo.

— A partir de hoje, a menina vai morar na casa — disse. — E saibam aqui e em todo o reino que ela só tem uma família, e de gente branca.

A menina resistiu quando ele quis levá-la nos braços para o quarto de dormir, e foi preciso fazê-la entender que uma ordem de homens reinava no mundo. Já no quarto da avó, enquanto o saiote de algodão das escravas era trocado por uma camisola de dormir, dela não se arrancou uma palavra sequer. Bernarda os viu da porta: o marquês sentado na cama, pelejando com os botões da camisola que não passavam pelas casas novas, e a menina de pé diante dele, olhando-o impassível. Bernarda não se conteve.

— Por que não se casam? — zombou:— Não seria mau negócio parir marquesinhas crioulas com patas de galinha para vender nos circos.

Alguma coisa mudara também nela. Apesar da ferocidade do riso, seu rosto parecia menos amargo e no fundo de sua perfídia havia um sentimento de compaixão que o marquês não notou. Logo que a viu longe, disse à menina:

— É uma bácora.

Pareceu-lhe perceber nela uma chispa de interesse.

— Sabes o que é uma bácora? — perguntou, ávido de uma resposta. Sierva María calou. Deixou-se deitar na cama, deixou-se ajeitar a cabeça nos travesseiros de penas, deixou-se cobrir até os joelhos com a colcha de linho cheirando ao cedro da arca, sem lhe fazer a caridade de um olhar. Ele sentiu um tremor de consciência:

— Rezas antes de dormir?

A menina nem sequer o olhou. Acomodou-se na posição fetal pelo hábito da rede e dormiu sem dar boa-noite. O marquês cerrou o mosquiteiro com todo cuidado para que os morcegos não lhe chupassem o sangue enquanto dormia. Faltava pouco para as dez e o coro das loucas era insuportável na casa redimida pela expulsão dos escravos.

O marquês soltou os cães, que saíram em disparada até o quarto da avó, farejando as frestas das portas com latidos ofegantes. Acariciou a cabeça deles com as gemas dos dedos e acalmou-os com a boa notícia:

— É Sierva María, que a partir desta noite mora conosco.

Dormiu pouco e mal por causa das loucas, que cantaram até as duas horas. A primeira coisa que fez ao levantar-se com o canto dos gaios foi ir até o quarto da menina, que não estava lá, e sim no galpão das escravas. A que dormia mais perto acordou assustada.

— Ela veio sozinha, senhor — disse, antes que ele perguntasse. — Eu nem percebi.

O marquês sabia que era verdade. Indagou qual delas acompanhava Sierva María quando o cachorro a mordeu. A única mulata, que se chamava Caridad del Cobre, se apresentou tremendo de medo. O marquês sossegou-a.

— Toma conta dela como se fosses Dominga de Adviento — disse.

Explicou-lhe os seus deveres. Ordenou que não a perdesse de vista um só momento, que a tratasse com carinho e compreensão, mas sem complacência. O mais importante era que não transpusesse a cerca de espinhos que mandaria fazer entre o pátio dos escravos e o resto da casa. De manhã, ao despertar, e de noite, antes de dormir, devia apresentar a ele um relatório completo, sem que o pedisse.

— Presta bem atenção no que fazer e como fazer — concluiu. — És a única responsável pelo cumprimento das minhas ordens.

Às sete da manhã, depois de prender os cães, o marquês foi à casa de Abrenuncio. O médico abriu a porta em pessoa, pois não tinha escravos nem criados. O marquês fez a si mesmo a censura que julgava merecer.

— Isso não são horas de visita — disse.

O médico lhe falou de coração aberto, grato pelo cavalo que acabava de receber. Levou-o pelo pátio até o telheiro de uma antiga ferraria, da qual só restavam os escombros da forja. O bonito alazão de dois anos, longe de seus confortos, parecia azougado. Abrenuncio o sossegou com palmadinhas na cara, murmurando-lhe ao ouvido inúteis promessas em latim.

O marquês contou que o cavalo morto tinha sido enterrado na antiga horta do hospital Amor de Deus, consagrada como cemitério de gente rica durante a peste de cólera. Abrenuncio agradeceu o favor excessivo. Enquanto falavam, chamou sua atenção que o visitante se mantivesse à distância. O marquês confessou que nunca tinha se atrevido a montar.

— Tenho tanto medo de cavalos como de galinhas — disse.

— É pena, porque a falta de comunicação com os cavalos atrasou a humanidade — disse Abrenuncio. — Se conseguíssemos rompê-la, poderíamos fabricar o centauro.

O interior da casa, iluminado por duas janelas que davam para o mar alto, estava arrumado com um preciosismo minucioso de solteirão. Em todo o ambiente recendia uma fragrância de bálsamos que levava a crer na eficácia da medicina. Havia uma escrivaninha em ordem e uma cristaleira cheia de frascos de porcelana com rótulos em latim. Relegada a um canto, estava a harpa medieval coberta de uma poeira dourada. O mais notável eram os livros, muitos em latim, com lombadas intrigantes. Havia-os em armários de vidro e em estantes abertas, ou postos no chão com muito cuidado, e o médico caminhava pelos desfiladeiros de papel com a ligeireza de um rinoceronte entre rosas. O marquês estava assombrado com a quantidade.

— Tudo o que se sabe deve estar nesta sala — disse.

— Os livros não servem para nada— disse Abrenuncio de bom humor. — Passei a vida curando doenças causadas por outros médicos com os remédios que dão.

Tirou um gato adormecido da poltrona principal, que era a sua, para que o marquês sentasse. Serviu-lhe um chá de ervas que ele mesmo preparou no fogareiro do laboratório, enquanto falava de suas experiências médicas, até se dar conta de que o marquês perdera o interesse. Assim era: ele se levantou de repente e lhe deu as costas, espiando pela janela o mar esquivo. Por fim, sempre de costas, encheu-se de coragem para começar.

— Licenciado — murmurou.

Abrenuncio não esperava o chamado.

— Sim?

— Sob a gravidade do sigilo médico, e só para seu governo, confesso que é verdade o que falam — disse o marquês em tom solene. — O cachorro raivoso mordeu também minha filha.

Olhou o médico e se defrontou com uma alma em paz.

— Já sei — disse. — E suponho que é por isso que veio tão cedo.

— Isso mesmo — disse o marquês. E repetiu a pergunta já feita a respeito do mordido do hospital: — Que podemos fazer?

Em vez da resposta brutal do dia anterior, Abrenuncio pediu para ver Sierva María. Era isso que o marquês queria dele. Estavam pois de acordo, e a carruagem os esperava na porta.

Quando chegaram à casa, o marquês encontrou Bernarda sentada diante do toucador, penteando-se para ninguém com a faceirice dos anos remotos em que tinham feito amor pela última vez e que ele havia apagado da memória. O quarto estava cheio do perfume primaveril dos sabonetes. Ela viu o marido pelo espelho e lhe disse sem azedume:

— Quem somos nós para andar presenteando cavalos?

O marquês a surpreendeu. Apanhando na cama em desalinho um roupão de uso diário, jogou-o em cima de Bernarda e ordenou implacável:

— Vista-se, que o médico está aí.

— Deus me livre — disse ela.

— Não é para você, embora precise bastante — disse ele. — É para a menina.

— Não adiantará nada — disse ela. — Ou se morre ou não se morre, não há outra saída. — Mas a curiosidade venceu: — Quem é?

— Abrenuncio — disse o marquês.

Bernarda se escandalizou. Preferia morrer como estava, sozinha e nua, a depositar sua honra nas mãos de um judeu fugido. Tinha sido médico na casa de seus pais, que o mandaram embora porque espalhava o estado dos seus pacientes para valorizar os próprios diagnósticos. O marquês a enfrentou.

— Embora você não o queira, e eu o queira ainda menos, você é a mãe dela — disse. — É em razão desse direito sagrado que lhe peço para assistir ao exame.

— Por mim, façam o que quiserem — disse Bernarda. — Eu morri.

Ao contrário do que seria de esperar, a menina se submeteu sem resistência a uma exploração minuciosa de seu corpo, com a curiosidade de quem estivesse observando um brinquedo de dar corda.

— Nós médicos vemos com as mãos — disse Abrenuncio.

A menina, achando graça, sorriu pela primeira vez. Sua boa saúde saltava aos olhos. Apesar do jeito desamparado, tinha um corpo harmonioso, coberto de uma penugem dourada, quase invisível, e com os primeiros brotos de uma floração feliz. Tinha os dentes perfeitos, os olhos clarividentes, os pés tranquilos, as mãos sábias, e cada fio do seu cabelo era o prelúdio de uma vida longa. Enfrentou com bom ânimo e pleno domínio o interrogatório insidioso, e seria preciso conhecê-la muito para descobrir que nenhuma resposta sua era verdade. Só esteve tensa quando o médico encontrou a cicatriz ínfima no tornozelo. A astúcia de Abrenuncio se antecipou:

— Caíste?

A menina afirmou sem pestanejar:

— Do balanço.

O médico começou a conversar consigo mesmo em latim. O marquês o interrompeu:

— Diga-me isso em língua de gente.

— Não é com o senhor — disse Abrenuncio. — Estou pensando em baixo-latim.

Sierva María estava encantada com as artimanhas de Abrenuncio, até que ele lhe colou a orelha ao peito para auscultá-la. O coração da menina batia aos saltos enlouquecidos, e a pele soltou um orvalho lívido e glacial, com um recôndito cheiro de cebola. Ao terminar, o médico lhe deu uma palmadinha carinhosa na face.

— És muito valente — disse.

A sós com o marquês, comentou que a menina sabia que o cachorro tinha raiva. O marquês não entendeu.

— Ela lhe disse muitas petas, mas essa, não.

— Não foi ela, senhor. Foi aquele coração, parecia uma rãzinha no cativeiro.

O marquês se demorou no relato de outras mentiras surpreendentes da filha, não sem certo orgulho paterno.

— Talvez vá ser poeta — disse.

Abrenuncio não admitiu que a mentira fosse uma condição das artes:

— Quanto mais transparente é uma escrita, mais se vê a poesia.

A única coisa que não pôde interpretar foi o cheiro de cebola no suor da menina. Como desconhecia qualquer relação entre um cheiro determinado e a raiva, descartou-o como sintoma. Caridad del Cobre revelou mais tarde ao marquês que Sierva María se entregara em segredo às ciências dos escravos, que a faziam mastigar emplastro de manajá, e a trancavam nua na despensa de cebolas para afastar o malefício do cachorro.

Abrenuncio não suavizou o mais insignificante pormenor da raiva.

— Os primeiros ataques são tanto mais graves e mais rápidos quanto mais profunda for a mordida e quanto mais perto estiver do cérebro — disse. Lembrou o caso de um paciente que morreu ao cabo de cinco anos, mas ficou a dúvida de que tivesse sofrido um contágio posterior, não advertido. A cicatrização rápida não queria dizer nada: depois de um tempo imprevisível, a cicatriz podia inchar, abrir-se de novo e supurar. A agonia chegava a ser tão espantosa que era melhor a morte. Só restava então apelar para o hospital do Amor de Deus, onde havia senegaleses hábeis no tratar de hereges e de energúmenos enfurecidos. A não ser assim, o marquês em pessoa teria de assumir a condenação de manter a menina amarrada à cama até morrer.

— Na longa história da humanidade — concluiu — nenhum hidrófobo viveu para contar.

O marquês decidiu que não havia cruz, por pesada que fosse, que não estivesse disposto a carregar. De modo que a menina iria morrer em casa. O médico o premiou com um olhar que mais parecia de compaixão que de respeito.

— Não se podia esperar menos grandeza de sua parte, senhor — disse. — E não duvido que sua alma terá a têmpera necessária para suportar tudo.

Mais uma vez insistiu em que o prognóstico não era alarmante. A ferida estava longe da área de maior risco, e ninguém lembrava que tivesse sangrado. O mais provável era que Sierva María não contraísse raiva.

— E enquanto isso? — perguntou o marquês.

— Enquanto isso — disse Abrenuncio —, toquem música, encham a casa de flores, façam cantar os passarinhos, levem-na para ver o pôr do sol no mar, deem-lhe tudo o que possa fazê-la feliz. — Despediu-se rodando o chapéu no ar e com a frase latina de rigor. Mas dessa vez traduziu-a em homenagem ao marquês: — "Não há remédio que cure o que a felicidade não cura."

Dois

Nunca se soube como o marquês chegou a um tal estado de apatia, nem por que manteve um casamento tão malsucedido quando tinha a vida preparada para uma viuvez tranquila. Teria podido ser o que quisesse, graças ao poder desmesurado do primeiro marquês, seu pai, cavaleiro da Ordem de Santiago, negreiro de forca e faca, mestre de campo sem coração, a quem el-rei seu senhor não poupou honras e prebendas, nem puniu injustiças.

Ygnacio, o herdeiro único, não dava sinais de nada. Cresceu com indícios inequívocos de atraso mental, foi analfabeto até a idade adulta, e não gostava de ninguém. O primeiro sintoma de vida que manifestou aos vinte anos foi se apaixonar e querer casar com uma das reclusas da Divina Pastora, cujos cantos e gritos arrulharam sua infância. Chamava-se Dulce Olivia. Era filha única numa família de seleiros de reis, e tivera de aprender a arte de fazer arreios de montaria para que não se extinguisse com ela uma tradição de quase dois séculos. A essa rara intromissão num ofício de homens se atribuiu o ter ela perdido o juízo, e de tão triste modo que deu trabalho ensiná-la a não comer suas próprias misérias. Afora isso, teria sido excelente partido para um marquês crioulo de tão parcas luzes.

Dulce Olivia tinha uma inteligência viva e um bom caráter, de sorte que foi difícil descobrir que estava louca. Logo à primeira vez que a viu, o jovem Ygnacio a distinguiu no tumulto do terraço, e nesse mesmo dia se entenderam por sinais. Exímia no corte, ela lhe mandava mensagens em gaivotas de papel. Ele aprendeu a ler e escrever para corresponder-se com ela, e assim principiou uma paixão autêntica que ninguém quis entender. Escandalizado, o primeiro marquês determinou ao filho que fizesse um desmentido público.

— Não só é verdade— replicou Ygnacio —, como tenho licença dela para pedi-la em casamento. — E ante o argumento da loucura, replicou com o seu: — Nenhum louco é louco para quem aceita as razões dele.

O pai o desterrou para suas fazendas com um mandado de dono e senhor que ele não se dignou utilizar. Foi uma morte em vida. Ygnacio tinha pavor de animais, menos das galinhas. Entretanto, na fazenda observou de perto uma galinha viva, imaginou-a aumentada até o tamanho de uma vaca, e descobriu que era um monstro muito mais aterrorizante que qualquer outro da terra ou da água. Suava frio no escuro e acordava sufocado pela madrugada com o silêncio fantasmal dos pastos. O mastim de presa que vigiava sem pestanejar diante do seu quarto não o inquietava mais que os outros perigos. Dizia: "Vivo espantado de estar vivo." No desterro, adquiriu o ar lúgubre, a catadura fechada, a índole contemplativa, as maneiras lerdas, a fala arrastada e uma vocação mística que parecia condená-lo a uma cela de clausura.

Ao completar-se o primeiro ano de desterro, foi despertado por um fragor como o de rios na enchente, e acontecia que os animais da fazenda estavam abandonando os seus dormitórios e atravessando os campos em silêncio absoluto sob a lua cheia. Derrubavam sem ruído tudo quanto lhes impedisse a passagem em linha reta através de pastos e canaviais, correntezas e brejos. Na frente iam os rebanhos de gado maior e as cavalgaduras de carga e de passeio, e atrás os porcos, as ovelhas, as aves de viveiro, numa fila sinistra que desapareceu na noite. Até as aves de voo largo e mesmo as pombas foram caminhando. Só o mastim de presa permaneceu no seu posto de vigia diante do quarto do amo. Esse foi o começo da amizade quase humana que o marquês dedicou àquele e aos muitos outros mastins que se sucederam na casa.

Esmagado pelo terror na herdade deserta, o jovem Ygnacio renunciou ao seu amor e submeteu-se aos desígnios paternos. Não satisfeito com o sacrifício do amor, o pai lhe impôs em cláusula testamentária casar-se com a herdeira de um grande de Espanha. Assim foi que ele desposou numa boda de arromba dona Olalla de Mendoza, bela mulher de grandes e variados talentos, a quem manteve virgem para não lhe conceder sequer a graça de um filho. No mais, continuou vivendo como sempre vivera desde nascer: um solteiro inútil.

Dona Olalla de Mendoza o introduziu na sociedade. Iam à missa maior, mais para se mostrarem do que por devoção, ela com vasquinhas de muitas pregas e mantos luxuosos, e a touca de renda engomada das brancas de Castela, com um séquito de escravas vestidas de seda e cobertas de ouro. Em vez das chinelas de andar em casa que usavam nas igrejas até as senhoras mais empertigadas, calçava botinas altas de cordovão com enfeites de pérolas. Ao contrário de outros principais que usavam perucas anacrônicas e botões de esmeralda, o marquês vestia roupas de algodão e barrete branco. Entretanto, comparecia por obrigação aos atos públicos, porque nunca pôde vencer o horror à vida social.

Dona Olalla tinha sido aluna de Scarlatti Domenico em Segóvia, e obtivera com louvor a licença para ensinar música e canto em escolas e conventos. De lá chegou com um clavicórdio em peças soltas que ela própria armou e diversos instrumentos de corda que tocava e ensinava a tocar com grande virtuosidade. Formou um conjunto de noviças que santificou as tardes da casa com as novidades da Itália, França e Espanha, e do qual se chegou a dizer que era inspirado pela lírica do Espírito Santo.

O marquês era uma negação para a música. Dizia-se, à maneira francesa, que tinha mãos de artista e ouvido de artilheiro. Mas desde o dia em que os instrumentos foram desencaixotados, ele atentou na teorba italiana, pela raridade de seu cravelhame duplo, o tamanho do seu diapasão, o número de suas cordas e o seu timbre nítido. Dona Olalla esforçou-se para que ele tocasse tão bem quanto ela. Passavam as manhãs ensaiando exercícios debaixo das árvores do pomar, ela com paciência e amor, ele com uma persistência de canteiro, até que o madrigal esquivo se lhes entregou sem dor.

A música melhorou tanto a harmonia conjugal que dona Olalla se atreveu a dar o passo que estava faltando. Numa noite de tempestade, fingindo um medo que não sentia, foi até o quarto do marido intacto.

— Sou dona da metade desta cama — disse —, e é por ela que venho.

Ele não se deu por achado. Certa de convencê-lo pela razão ou pela força, ela não desanimou. A vida não lhes deu tempo. Num dia 9 de novembro estavam tocando em duo debaixo das laranjeiras, onde o ar era puro e o céu alto, e sem nuvens, quando um relâmpago os cegou, um estampido sísmico os fez estremecer e dona Olalla caiu fulminada pela centelha.

A cidade estupefata interpretou a tragédia como a deflagração da cólera divina por alguma falta inconfessável. O marquês encomendou um enterro de rainha, no qual se mostrou pela primeira vez com os tafetás negros e a cor macilenta que havia de carregar consigo para sempre. Ao voltar do cemitério, foi surpreendido por uma nevada de gaivotas de papel sobre as laranjeiras. Apanhou uma ao acaso e, desfazendo-a, leu: *Esse raio era meu.*

Antes mesmo de terminar a novena, doou à igreja os bens materiais que tinham sustentado a grandeza do morgadio: uma fazenda de gado em Mompox e outra en Ayapel, e dois mil hectares em Mahates, a apenas duas léguas dali, mais várias tropas de cavalos de carga e de montaria, uma fazenda de lavoura e o melhor trapiche da costa caribenha. Entretanto, a lenda de sua fortuna se baseava num latifúndio imenso e ocioso, cujos limites imaginários se perdiam na memória mais além dos pântanos de La Guaripa e nas planícies de La Pureza até os manguezais de Urabá. O único bem que conservou foi a mansão senhorial com o pátio da criadagem reduzido ao mínimo, e o trapiche de Mahates. A Dominga de Adviento entregou o governo da casa. O velho Neptuno manteve a dignidade de cocheiro que lhe fora conferida pelo primeiro marquês e ficou incumbido de zelar pelo pouco que restava da cavalariça doméstica.

Pela primeira vez sozinho na tenebrosa mansão de seus antepassados, mal conseguia dormir no escuro, pelo medo congênito dos nobres crioulos de ser assassinado pelos escravos durante o sono. Acordava de repente, sem saber se os olhos febris que assomavam nas claraboias eram deste mundo ou do outro. Ia na ponta dos pés até a porta, abria-a de súbito e surpreendia um negro a espiá-lo pela fechadura. Sentia-os deslizando com passos de tigre pelos corredores, nus e besuntados de gordura de coco para não serem agarrados. Aturdido por tantos medos juntos, ordenou que as luzes ficassem acesas até o amanhecer, expulsou os escravos que pouco a pouco se apoderavam dos espaços vazios e trouxe para casa os primeiros mastins amestrados em artes de guerra.

O portão foi fechado. Deu-se fim aos móveis franceses cujos veludos empestavam o ar pela umidade, venderam-se os gobelinos e as porcelanas e as obras-primas de relojoaria e armaram-se as redes de bardana para aguentar o calor nas alcovas desmanteladas. O marquês não tornou a ser visto em missas e retiros, nem carregou o pálio do Santíssimo nas procissões, nem guardou dias santos ou respeitou quaresmas, embora continuasse pontual no pagamento dos tributos à Igreja. Refugiou-se na rede, às vezes no dormitório por causa das modorras de agosto e quase sempre debaixo das laranjeiras para a sesta. As loucas lhe atiravam restos de comida e gritavam obscenidades carinhosas, mas quando o governo lhe ofereceu o favor de mudar o manicômio, ele o rejeitou, por gratidão a elas.

Vencida pelo pouco-caso do seu pretendido, Dulce Olivia se consolou com a nostalgia do que não acontecera. Sempre que podia, escapava da Divina Pastora pelas brechas na cerca do pomar. Amansou e fez amizade com os mastins de presa, cevando-os com comedorias, e dedicava suas horas de sono a cuidar da casa que nunca teve, a varrê-la com vassouras de alfavaca para dar sorte e a pendurar réstias de alhos nos quartos para espantar os mosquitos. Dominga de Adviento, cuja mão direita não deixava nada ao acaso, morreu sem descobrir por que os corredores amanheciam mais limpos do que anoiteciam, e as coisas que ela arrumava de um jeito amanheciam de outro. Antes de passar um ano de viúvo, o marquês surpreendeu pela primeira vez Dulce Olivia esfregando os trens de cozinha que achava mal lavados pelas escravas.

— Não pensei que te atrevesses a tanto — disse.

— É porque continuas sendo o pobre-diabo de sempre — replicou ela.

Assim se reatou uma amizade proibida que pelo menos uma vez pareceu amor. Falaram até o amanhecer, sem esperança nem amargura, como um velho casal condenado à rotina. Julgavam ser felizes, e talvez o fossem, até que um dos dois dizia uma palavra demais, ou dava um passo de menos, e a noite apodrecia numa briga de vândalos que desmoralizava os mastins, Tudo então voltava ao princípio, e Dulce Olivia desaparecia da casa por longo tempo.

O marquês confessou-lhe que seu desprezo pelas fortunas terrestres e as mudanças no seu modo de ser não eram fruto da devoção, mas do pavor causado pela perda súbita da fé, ao ver o corpo da esposa carbonizado pelo raio. Dulce Olivia se ofereceu para consolá-lo. Prometeu ser sua escrava submissa tanto na cozinha como na cama. Ele não se rendeu.

— Nunca mais me casarei — jurou.

Dali a menos de um ano, no entanto, casou-se às escondidas com Bernarda Cabrera, filha de um antigo capataz de seu pai que fizera fortuna no comércio de artigos ultramarinos. Tinham-se conhecido quando o pai a encarregou de levar à casa os arenques em salmoura e as azeitonas pretas que eram o fraco de dona Olalla, e quando esta morreu continuou levando-as para o marquês. Uma tarde em que Bernarda o encontrou na rede do pomar, leu o destino escrito na palma de sua mão esquerda. O marquês se impressionou tanto com os seus acertos que continuou chamando-a na hora da sesta, mesmo sem nada para comprar, mas passaram-se dois meses sem que tomasse qualquer iniciativa. Tomou-a ela em seu lugar. Montou-o de assalto na rede e o amordaçou com as fraldas do camisolão que ele vestia, até deixá-lo exausto.

Então o fez reviver com um ardor e uma sabedoria que ele nunca imaginara nos prazeres insípidos de seus amores solitários, e o despojou sem glória de sua virgindade. Ele estava com cinquenta e dois anos, e ela com vinte e três, mas a diferença de idade era a menos perniciosa.

Continuaram fazendo amor na sesta, depressa e mal, à sombra evangélica das laranjeiras. Dos terraços, as loucas os estimulavam com cantigas frascárias e celebravam seus triunfos com aplausos de estádio. Antes que o marquês tomasse consciência dos riscos que o espreitavam, Bernarda o tirou da pasmaceira com a novidade de que estava grávida de dois meses. Fez-lhe ver que não era negra, mas filha de índio ladino com branca de Castela, de modo que a única agulha para cerzir a honra era o casamento formal. Ele não se manifestou até que o pai dela bateu à porta na hora da sesta com um arcabuz arcaico a tiracolo. Era de fala vagarosa e modos suaves, e entregou a arma ao marquês sem olhá-lo de frente.

— Sabe o que é isso, senhor marquês? — perguntou.

O marquês não sabia o que fazer com a arma nas mãos.

— Até onde alcança o meu entendimento, acho que é um arcabuz — disse. E indagou, deveras intrigado: — Para que o usa?

— Para me defender dos piratas, senhor — disse o índio, ainda sem o encarar. — Agora o trago para que o senhor tenha a bondade de me matar antes que eu o mate.

Fitou-o na cara. Tinha uns olhos tristes e miúdos, mas o marquês entendeu o que não lhe diziam. Devolveu o arcabuz e seguiu na frente para celebrarem o acordo. Dois dias depois, o vigário de uma igreja próxima oficiou a boda, presentes os pais dela e os padrinhos de ambos. Quando terminaram, Sagunta apareceu não se sabe de onde e coroou os recém-casados com as grinaldas da felicidade.

Numa manhã de chuvas tardias, sob o signo de Sagitário, nasceu de sete meses, e mal, Sierva María de Todos los Ángeles. Parecia uma rãzinha desbotada, com o cordão umbilical enrolado no pescoço, quase a estrangulá-la.

— É mulher — disse a parteira. — Mas não vai viver.

Foi então que Dominga de Adviento prometeu a seus santos que se lhe fosse concedida a graça de viver não se cortaria o cabelo da menina até a noite do casamento. Mal acabava de fazer a promessa, a criança começou a chorar. Dominga de Adviento, triunfante, exclamou:

— Será santa!

O marquês, que só a viu depois de lavada e vestida, foi menos vidente.

— Será puta — disse. — Se Deus lhe der vida e saúde.

Filha de nobre e plebeia, a menina teve uma infância de exposta. A mãe a odiou desde que lhe deu de mamar pela única vez e se negou a tê-la consigo com medo de matá-la. Dominga de Adviento a amamentou, batizou em Cristo e consagrou a Olokun, divindade iorubá de sexo incerto, cujo rosto se presume tão temível que só se deixa ver em sonhos, e sempre de máscara. Criada no pátio dos escravos, Sierva María aprendeu a dançar antes de falar, aprendeu três línguas africanas ao mesmo tempo, a beber sangue de galo em jejum e a esgueirar-se entre os cristãos sem ser vista nem pressentida, como um ser imaterial. Dominga de Adviento cercou-a de uma corte jubilosa de escravas negras, criadas mestiças, recadeiras índias, que lhe davam banho com águas propícias, a purificavam com verbena de Iemanjá e cuidavam como uma roseira a impetuosa cabeleira, que aos cinco anos lhe chegava à cintura. Pouco a pouco as escravas foram pendurando nela os colares de vários deuses, até o número de dezesseis.

Bernarda já assumira com mão firme o comando da casa, enquanto o marquês vegetava no pomar. Sua primeira preocupação foi restabelecer a fortuna distribuída pelo marido, com base nas procurações do primeiro marquês. Este, em seu tempo, obtivera licenças para vender cinco mil escravos em oito anos, com o compromisso de importar ao mesmo tempo dois barris de farinha por cada um. Graças a suas artimanhas de mestre e à venalidade dos aduaneiros, vendeu a farinha combinada, mas também vendeu de contrabando três mil escravos a mais, o que o converteu no traficante individual mais afortunado do século.

Foi Bernarda quem descobriu que o bom negócio não eram os escravos, e sim a farinha, embora o grande negócio, na realidade, fosse o seu inacreditável poder de persuasão. Com uma só licença para importar mil escravos em quatro anos e três barris de farinha por um escravo, deu a tacada de sua vida: vendeu os mil negros acertados, mas em vez de três mil barris de farinha importou doze mil. O maior contrabando do século.

Ela passava então a metade do tempo no trapiche de Mahates, onde estabeleceu o núcleo dos seus negócios nas proximidades do rio Grande de la Magdalena para o tráfico de tudo com o interior do vice-reinado. Chegavam à casa do marquês notícias esparsas dessa prosperidade, da qual ela não prestava contas a ninguém. Durante o tempo que passava ali, mesmo antes das crises, ela parecia outro mastim enjaulado. Dominga de Adviento disse melhor: "Ficava de rabo aceso."

Sierva María ocupou pela primeira vez um lugar estável na casa quando sua escrava morreu. Arrumaram para ela o quarto esplêndido onde viveu a primeira marquesa. Nomearam um preceptor que lhe deu aulas de espanhol peninsular e noções de aritmética e ciências naturais e tentou ensiná-la a ler e escrever, sem sucesso, porque ela dizia não entender as letras. Uma professora laica a iniciou na apreciação da música. A menina demonstrou interesse e bom gosto, mas não teve paciência para aprender nenhum instrumento. A professora desistiu, desapontada, e disse ao despedir-se do marquês:

— Não é que a menina seja negação para tudo, o que há é que ela não é deste mundo.

Bernarda quisera aplacar os seus rancores, mas logo ficou evidente que a culpa não era nem de uma de outra, mas da natureza de ambas. Vivia em pânico desde que acreditou descobrir na filha certa condição fantasmal. Tremia só de pensar no instante em que olhava para trás e dava com os olhos inescrutáveis da criança lânguida com seus tules vaporosos e a cabeleira silvestre que já lhe batia pelos joelhos.

— Menina! — gritava. — Estás proibida de me olhar assim.

Quando estava mais concentrada em seus negócios, sentia na nuca o hálito sibilante de cobra pronta para o bote e dava um pulo de susto.

— Menina! — gritava. — Faz barulho antes de entrar.

Ela lhe aumentava o medo com um chorrilho de frases em língua iorubá. De noite era pior, porque Bernarda acordava com a sensação de que alguém a havia tocado: era a menina no pé da cama olhando-a dormir. Foi inútil a tentativa da campainha no pulso, porque o pé ante pé de Sierva María a impedia de soar. "A única coisa que essa guria tem de branco é a cor", dizia a mãe. Tanto era assim que alternava seu nome com outro nome africano que tinha inventado: Maria Mandinga.

A relação deu em crise numa madrugada em que Bernarda acordou morta de sede por causa dos excessos do cacau e achou uma boneca de Sierva María flutuando dentro da tina. Não lhe pareceu uma simples boneca boiando na água, mas algo pavoroso: uma boneca morta.

Convencida de que era um feitiço africano de Sierva María contra ela, decidiu que na casa não havia lugar para as duas. O marquês aventurou uma mediação tímida e Bernarda cortou em seco: "Ou ela ou eu." Acabou Sierva María voltando para o galpão das escravas, mesmo quando a mãe estava no trapiche. Continuava sendo tão hermética como ao nascer, e analfabeta total.

Mas Bernarda não andava bem. Procurara reter Judas Iscariotes igualando-se a ele, e em menos de dois anos perdeu o rumo dos negócios e da própria vida. Fantasiava-o de pirata núbio, de ás de copas, de rei Melchior, e o levava aos subúrbios, sobretudo quando aportavam os galeões e a cidade se entregava a uma farra de meio ano. Improvisavam-se tabernas e bordéis extramuros para os comerciantes que vinham de Lima, de Portobelo, de Havana, de Veracruz, na disputa dos gêneros e mercadorias de todo o mundo descoberto. Certa noite, morto de bebedeira numa cantina de remadores de galé, Judas se aproximou de Bernarda muito misterioso.

— Abre a boca e fecha os olhos — disse.

Ela abriu, e ele lhe enfiou na língua uma barra de chocolate mágico de Oaxaca. Bernarda percebeu e cuspiu, pois desde criança tinha uma aversão especial pelo cacau. Judas a convenceu de que era uma substância sagrada que alegrava a vida, aumentava a força física, levantava o ânimo e fortalecia o sexo.

Bernarda deu uma risada explosiva:

— Se fosse assim, as freirinhas de Santa Clara seriam touros de lida.

Já estava presa ao mel fermentado que consumia com suas colegas de escola desde antes do casamento e continuou a consumi-lo não só pela boca como pelos cinco sentidos no ar quente do trapiche. Aprendeu com Judas a mastigar fumo e folhas de coca misturadas com cinza de imbaúba, como os índios da Serra Nevada. Experimentou nas tabernas a maconha da Índia, a terebitina de Chipre, o *peyote* do Real de Catorce, e pelo menos uma vez o ópio chinês trazido por traficantes filipinos. Entretanto, não foi surda à propaganda de Judas em favor do cacau. De volta de todos os demais, reconheceu-lhe as virtudes e o preferiu a qualquer outro. Judas deu para ladrão, proxeneta, sodomita ocasional, tudo por vício, pois nada lhe faltava. Numa noite infeliz, diante de Bernarda, enfrentou de mãos nuas três galeotes da frota, numa briga de jogo de cartas, e o mataram a cadeiradas.

Bernarda se refugiou no trapiche. A casa ficou à matroca e se não naufragou logo foi graças à sabedoria de Dominga de Adviento, que acabou de formar Sierva María como queriam os seus deuses. O marquês soube por alto da derrocada da esposa. Chegaram do trapiche rumores segundo os quais ela vivia em estado de delírio, falava sozinha, escolhia os escravos mais bem-dotados para partilhá-los em suas noites romanas com as antigas colegas de escola. A fortuna vinda pela água, pela água foi embora, e ela ficou à mercê dos frascos de mel e dos pacotes de cacau que mantinha escondidos aqui e ali, para não perder tempo quando as ânsias a acossavam. A única coisa segura que lhe restava eram suas bilhas atulhadas de dobrões de ouro puro, que em tempos de vacas gordas havia enterrado debaixo da cama. Era tamanha a sua decadência que o marido não a reconheceu quando voltou de Mahates pela última vez, ao cabo de três anos contínuos, pouco antes de Sierva María ser mordida pelo cachorro.

Em meados de março, os perigos da raiva pareciam conjurados. O marquês, contente com sua sorte, propôs-se corrigir o passado e conquistar o coração da filha com a receita de felicidade aconselhada por Abrenuncio. A isso dedicou todo o seu tempo. Tratou de aprender a penteá-la e fazer a trança. Tratou de ensiná-la a ser branca de lei, a restaurar para ela seus sonhos fracassados de nobre nativo, de tirar-lhe o gosto pela iguana em escabeche e pelo ensopado de tatu. Tentou quase tudo, menos indagar de si mesmo se aquele era o modo certo de fazê-la feliz.

Abrenuncio continuou visitando a casa. Não era fácil entender-se com o marquês, mas interessava-lhe a inconsciência dele num subúrbio do mundo intimidado pelo Santo Ofício. Assim passavam os meses do calor, ele falando sem ser ouvido debaixo das laranjeiras em flor, e o marquês apodrecendo na rede a mil e trezentas léguas marítimas de um rei que nunca ouvira falar nele. Numa dessas visitas, foram interrompidos por um lamento lúgubre de Bernarda.

Abrenuncio se alarmou. O marquês fez-se de surdo, mas o queixume seguinte foi tão dilacerante que não era possível ignorá-lo.

— Alguém está precisando de um responso — disse Abrenuncio.

— É minha esposa em segundas núpcias — disse o marquês.

— Pois está com o fígado em pandarecos — disse Abrenuncio.

— Como sabe?

— Porque está gemendo com a boca aberta — disse o médico.

Empurrou a porta sem pedir licença e na penumbra do quarto procurou ver Bernarda, que não estava na cama. Chamou-a pelo nome e ela não respondeu. Então abriu a janela, e a luz metálica das quatro mostrou-a no chão, em carne viva, nua e aberta em cruz, cercada pelo fulgor de suas flatulências letais. Sua pele tinha a cor mortiça da atrabílis rejeitada. Ergueu a cabeça, ofuscada pelo resplendor da janela aberta de repente, e não reconheceu o médico à contraluz. Bastou a este um olhar para ver o destino dela.

— É o canto da coruja, minha filha.

Explicou que ainda era tempo de salvá-la, desde que se submetesse a uma cura urgente de purificação do sangue. Bernarda o reconheceu, refez-se como pôde e se desmandou em impropérios. Abrenuncio os suportou impassível enquanto tornava a fechar a janela. Já de saída, parou junto à rede do marquês e precisou o prognóstico:

— A senhora marquesa morrerá o mais tardar no dia 15 de setembro, se antes não se pendurar numa viga.

Sem se alterar, o marquês disse:

— O ruim é que o dia 15 de setembro ainda está longe.

Prosseguia com o tratamento de felicidade a Sierva María. Do morro de São Lázaro, viam para o lado do oriente os pântanos fatais, e para o do ocidente o enorme sol vermelho que afundava no oceano em chamas. Ela lhe perguntou o que havia do outro lado do mar e ele respondeu: "O mundo." Para cada gesto dele, a menina encontrou uma ressonância inesperada. Uma tarde, viram aparecer no horizonte, com as velas enfunadas, a Frota de Galeões.

A cidade se transformou. Pai e filha se divertiram com os títeres, os engolidores de fogo, as incontáveis novidades da feira que chegaram ao porto naquele abril de bons presságios. Sierva María aprendeu mais coisas sobre brancos em dois meses do que nunca dantes. Buscando fazê-la outra, também o marquês ficou diferente, e de um modo tão radical que não pareceu uma mudança de caráter, e sim uma troca de natureza.

A casa se encheu de quantas dançarinas de corda, caixas de música e relógios mecânicos se viam nas feiras da Europa. O marquês espanou a teorba italiana. Encordoou-a, afinou-a com uma perseverança que só o amor era capaz de explicar, e tornou a se acompanhar nas canções de antigamente, cantadas com a boa voz e o mau ouvido que nem os anos nem as turvas recordações tinham alterado. Ela lhe perguntou num daqueles dias se era verdade, como diziam as canções, que o amor tudo podia,

— É verdade — respondeu ele —, mas será melhor não acreditares.

Feliz com as boas notícias, o marquês começou a pensar numa viagem a Sevilha, para que Sierva María se restabelecesse dos seus pesares ocultos e terminasse seu aprendizado do mundo. As datas e o itinerário já estavam acertados, quando Caridad del Cobre o acordou da sesta com a notícia brutal:

— Senhor, a coitada da minha menina está virando cachorro.

Chamado com urgência, Abrenuncio desmentiu a superstição popular de que os raivosos acabavam iguais aos bichos que os tinham mordido. Verificou que a menina estava com um pouco de febre, e embora se considerasse a febre uma doença em si mesma e não um sintoma de outros males, não a subestimou. Advertiu ao atribulado senhor que a criança não estava a salvo de qualquer mal, pois a mordida de um cão, com ou sem raiva, não preservava contra nada. Como sempre, o único jeito era esperar. O marquês perguntou:

— É a última coisa que me diz?

— A ciência não me deu meios para lhe dizer mais nada — replicou o médico no mesmo tom ácido. — Mas se não acredita em mim, ainda lhe resta um recurso: confie em Deus.

O marquês não entendeu.

— Eu juraria que o senhor era incréu — disse.

O médico se virou sem sequer fitá-lo.

— Quisera eu, senhor.

O marquês não se confiou a Deus, mas a tudo o que lhe desse alguma esperança. Na cidade havia outros três médicos formados, seis boticários, onze barbeiros sangradores e um sem-número de curandeiros e mestres em feitiçaria, embora nos últimos cinquenta anos a Inquisição tivesse condenado mil e trezentos a diferentes penas e queimado sete na fogueira. Um jovem médico de Salamanca abriu a ferida fechada de Sierva María e pôs-lhe umas cataplasmas cáusticas para extrair os humores rançosos. Outro tentou a mesma coisa com sanguessugas nas costas. Um barbeiro sangrador lavou a ferida com a urina dela própria e outro a fez bebê-la. Ao fim de duas semanas ela havia suportado dois banhos de ervas e duas lavagens emolientes por dia, e levaram-na à beira da agonia com cozimentos de antimônio natural e outros filtros mortais.

A febre cedeu, mas ninguém ousou proclamar que a raiva estivesse conjurada. Sierva María sentia-se morrer. A princípio resistia com o orgulho intacto, mas após duas semanas sem nenhum resultado tinha uma úlcera de fogo no tornozelo, a pele escaldada por sinapismos e vesicatórios, e o estômago em carne viva. Passara por tudo: vertigens, convulsões, espasmos, delírios, solturas de ventre e de bexiga, e se retorcia no chão uivando de dor e de fúria. Até os curandeiros mais afoitos a abandonaram à própria sorte, convencidos de que estava louca ou possuída pelos demônios. O marquês já tinha perdido todas as esperanças, quando apareceu Sagunta com a receita de Santo Huberto.

Foi o final. Sagunta se desfez de seus lençóis e se besuntou com unguentos de índios para esfregar seu corpo no da menina nua. Esta resistiu de pés e mãos apesar de sua fraqueza extrema, e Sagunta a submeteu à força. Bernarda ouviu de seu quarto a gritaria demente. Correu para ver o que acontecia e encontrou Sierva María esperneando no chão, e Sagunta em cima dela, envolvida na maré de cobre da cabeleira e ululando a oração de Santo Huberto. Chicoteou ambas com as cordas da rede. Primeiro no chão, as duas encolhidas pela surpresa, e depois perseguindo-as pelos cantos até que lhe faltou fôlego.

O bispo da diocese, dom Toribio de Cáceres y Virtudes, alarmado com o escândalo público dos vexames e desvarios de Sierva María, mandou ao marquês um chamado sem precisar razões, data ou hora, o que foi interpretado como indício de suma urgência. O marquês superou a dúvida e apareceu no mesmo dia, sem se anunciar.

O bispo assumira o seu ministério quando o marquês já se havia afastado da vida pública, e mal se tinham visto. Além disso, era um homem condenado por sua má saúde, com um corpanzil que o impedia de se socorrer a si mesmo, e corroído por uma asma maligna que punha à prova suas crenças. Não comparecera a numerosas efemérides públicas em que sua ausência era inconcebível, e nas poucas onde aparecia mantinha uma distância que o ia convertendo pouco a pouco num ser irreal.

O marquês o tinha visto algumas vezes, sempre de longe e em público, mas a lembrança que lhe ficou dele foi de uma missa concelebrada à qual assistiu debaixo de pálio e carregado em liteira por dignitários do governo. Pelo corpo enorme e o aparato dos ornamentos, parecia à primeira vista um ancião colossal, mas o rosto glabro de traços exatos, com uns estranhos olhos verdes, conservava intacta uma beleza sem idade. No alto da liteira, tinha um nimbo mágico de Sumo Pontífice, e os que o conheciam de perto sentiam também o brilho de sua sabedoria e sua consciência do poder.

O palácio onde vivia era o mais antigo da cidade, com dois andares de vastos espaços e em ruínas, dos quais o bispo não ocupava nem a metade de um. Ficava junto à catedral e tinha em comum com esta um claustro de arcos enegrecidos e um pátio com um poço em ruínas entre capinzais desertos. Até a fachada imponente de pedra lavrada e seus portões de madeiras inteiriças revelavam os estragos do abandono.

O marquês foi recebido na porta principal por um diácono índio. Distribuiu esmolas miúdas entre os grupos de mendigos que se arrastavam no vestíbulo, e penetrava na penumbra fresca da casa quando soaram na catedral e ressoaram em seu ventre as badaladas enormes das quatro da tarde. O corredor central estava tão escuro que ele seguia o diácono sem vê-lo, vigiando cada passo para não tropeçar em estátuas mal colocadas e em escombros atravessados. No fim do corredor havia uma pequena antessala iluminada por uma claraboia. O diácono parou, pediu ao marquês que esperasse sentado e prosseguiu pela porta contígua. O marquês ficou de pé, esquadrinhando na parede principal um grande retrato a óleo de um jovem militar com o uniforme de gala dos alferes do rei. Só ao ler a placa de bronze na moldura descobriu que era o retrato do bispo jovem.

O diácono abriu a porta para convidá-lo a entrar, e o marquês não precisou mover-se para ver outra vez o bispo, agora quarenta anos mais velho que no retrato. Era muito maior e mais imponente do que diziam, embora sufocado pela asma e vencido pelo calor. Suava aos borbotões e se balançava muito devagar numa cadeira de balanço filipina, abanando-se com um leque de folha de palmeira e com o corpo inclinado para a frente no esforço de respirar melhor. Calçava uns botinões de roceiro e vestia uma camisola de fazenda grossa com pedaços puídos pelos abusos do sabão. Notava-se à primeira vista a sinceridade de sua pobreza. Entretanto, o mais notável era a pureza dos seus olhos, que só podia entender-se como um privilégio da alma. Deixou de balançar-se logo que viu o marquês à porta e fez-lhe um sinal afetuoso com o leque.

— Entre, Ygnacio — disse. — A casa é sua.

O marquês enxugou na calça o suor das mãos, transpôs a porta e viu-se num terraço ao ar livre, debaixo de um dossel de campânulas amarelas e samambaias pendentes. Dali se avistavam as torres de todas as igrejas, os telhados vermelhos das casas principais, os pombais adormitados pelo calor, as fortificações militares perfiladas contra o céu de vidro, e o mar ardente. O bispo estendeu com benevolência sua mão de soldado, e o marquês beijou-lhe o anel.

Devido à asma, sua respiração era forte e pedregosa, e suas frases perturbadas por suspiros inoportunos e por uma tosse áspera e breve, mas nada afetava sua eloquência. Logo estabeleceu um intercâmbio fácil de miudezas cotidianas. Sentado diante dele, o marquês agradeceu aquele preâmbulo de consolação, tão rico e prolongado que foram surpreendidos pelas badaladas das cinco. Mais que um som, foi uma trepidação, que fez vibrar a luz da tarde, e o céu se encheu de pombas assustadas.

— É horrível — disse o bispo. — Cada hora me ressoa nas entranhas como um tremor de terra.

A frase surpreendeu o marquês, pois era o mesmo que ele pensara quando soaram as quatro. Ao bispo aquilo pareceu uma coincidência natural.

— As ideias não são de ninguém — disse. Com o indicador, desenhou no ar uma série de círculos contínuos, e concluiu: — Andam voando por aí, como os anjos.

Uma freira de serviço trouxe uma jarra de duas asas com frutas picadas num vinho espesso e uma bacia de águas fumegantes que impregnavam o ar de um cheiro medicinal. O bispo aspirou o vapor com os olhos fechados, e quando emergiu do êxtase era outro: dono absoluto de sua autoridade.

— Fizemos-te vir — disse ao marquês — porque sabemos que estás precisando de Deus e te fazes de distraído.

A voz tinha perdido suas tonalidades de órgão e seus olhos recobraram o fulgor terreno. O marquês tomou de um trago a metade do copo de vinho para ficar à vontade.

— Vossa Senhoria Ilustríssima deve saber que carrego comigo a maior desgraça que um ser humano pode sofrer — disse, com uma humildade desconcertante. — Deixei de crer.

— Já sabemos, filho — replicou o bispo sem surpresa. — Como não íamos saber!

Disse-o com certa alegria, porque também ele, aos vinte anos, quando alferes do rei no Marrocos, tinha perdido a fé, em meio ao fragor de um combate. "Foi a certeza fulminante de que Deus tinha deixado de ser" disse. Aterrado, entregara-se a uma vida de oração e penitência. "Até que Deus teve pena de mim e me indicou o caminho da vocação", concluiu.

— O essencial não é que não creias, mas que Deus continue crendo em ti. E sobre isso não há dúvida, pois em sua diligência infinita foi Ele quem nos iluminou para te oferecermos este alívio.

— Eu queria aguentar minha desgraça em silêncio — disse o marquês.

— Pois muito mal o conseguiste — disse o bispo. — É um segredo público que tua pobre filha rola pelo chão, tomada de convulsões obscenas e ladrando em gíria de idolatras. Não são sintomas inequívocos de uma possessão demoníaca?

O marquês estava espantado.

— Que quer dizer?

— Que entre as numerosas espertezas do demônio é muito frequente a de assumir a aparência de uma doença imunda para se introduzir num corpo inocente — disse. — E uma vez dentro, não há força humana que o faça sair.

O marquês explicou as características médicas da mordida do cachorro, mas o bispo encontrava sempre uma explicação a seu favor. Perguntou o que sem dúvida sabia até demais.

— Sabes quem é Abrenuncio?

— Foi o primeiro médico que viu a menina — disse o marquês.

— Eu queria ouvir isso de tua própria voz.

Sacudiu uma sineta que mantinha a seu alcance, e apareceu logo um sacerdote de seus trinta anos, como se fosse um gênio libertado da garrafa. Foi apresentado como o padre Cayetano Delaura, nada mais, pelo bispo, que o mandou sentar. Vestia uma batina caseira, por causa do calor, e calçava uns botinões iguais aos do bispo. Era intenso, pálido, de olhos vivazes, cabelo muito preto com uma mecha branca na frente. Sua respiração breve e suas mãos quentes não pareciam de um homem feliz.

— Que sabemos de Abrenuncio? — perguntou-lhe o bispo.

O padre Delaura não precisou pensar.

— Abrenuncio de Sá Pereira Cão — disse, como que soletrando o nome. E em seguida dirigiu-se ao marquês: — Por certo tem conhecimento, senhor marquês, do que o último sobrenome significa na língua dos portugueses.

A rigor, prosseguiu Delaura, não se sabia se aquele era o seu nome verdadeiro. De acordo com os expedientes do Santo Ofício, era um judeu português expulso da península e amparado aqui por um governador agradecido, a quem curou uma hérnia de duas libras com as águas depurativas de Turbaco. Falou de suas receitas mágicas, da audácia com que vaticinava a morte, de uma presumível pederastia, de suas leituras libertinas, de sua vida sem Deus. Contudo, a única acusação concreta que lhe haviam feito era de ressuscitar um alfaiatezinho remendão de Getsemaní. Houve testemunhos sérios de que já estava amortalhado e no caixão quando Abrenuncio ordenou que se levantasse. Por sorte, o próprio ressuscitado afirmou perante o tribunal do Santo Ofício que em nenhum momento perdera a consciência. "Isso o salvou da fogueira", disse Delaura. E, por último, referiu-se ao episódio do cavalo morto no morro de São Lázaro e sepultado em terra sagrada.

— Ele o amava como a um ser humano — observou o marquês.

— Foi uma afronta à nossa fé, senhor marquês — disse Delaura. — Cavalos de cem anos não são coisa de Deus.

O marquês se alarmou com o fato de que uma brincadeira privada tivesse chegado aos arquivos do Santo Ofício. Esboçou uma tímida defesa:

— Abrenuncio é um maldizente, mas, com toda a humildade, acredito que daí à heresia vai uma grande distância.

A discussão teria sido azeda e interminável se o bispo não os recolocasse no rumo perdido.

— Digam o que disserem os médicos — falou —, a raiva nos humanos costuma ser uma das muitas astúcias do Inimigo.

O marquês não entendeu. A explicação que recebeu foi tão dramática que parecia o prelúdio de uma condenação ao fogo eterno.

— Por sorte — concluiu o bispo —, embora o corpo da menina seja irrecuperável, Deus nos deu os meios para salvar sua alma.

A opressão do anoitecer ocupou o mundo. O marquês viu a primeira estrela no céu cor de malva, e pensou em sua filha, sozinha na casa sórdida, arrastando o pé ferido pelos embustes dos curandeiros. Perguntou com sua natural modéstia:

— Que devo fazer?

O bispo explicou ponto por ponto. Autorizou-o a usar seu nome em cada gestão, sobretudo no convento de Santa Clara, onde devia internar a menina com urgência.

— Deixa-a em nossas mãos — concluiu. — Deus fará o resto.

Despediu-se o marquês mais preocupado do que ao chegar. Da janela da carruagem contemplou as ruas desoladas, os meninos tomando banho nus nas poças, o lixo espalhado pelos abutres. Virando uma esquina, avistou o mar, sempre em seu lugar, e a incerteza o assaltou.

Com o toque do ângelus, chegou à casa em trevas, e pela primeira vez desde a morte de dona Olalla rezou em voz alta: *O anjo do Senhor anunciou a Maria.* As cordas da teorba ressoavam no escuro como no fundo de um poço. O marquês seguiu às apalpadelas o rumo da música até o quarto da filha. Lá estava ela, sentada na cadeira do toucador, com a túnica branca e a cabeleira solta até o chão, tocando um exercício primário que aprendera com ele. Não podia acreditar que fosse a mesma que deixara ao meio-dia prostrada pela inclemência dos curandeiros, salvo se tivesse acontecido um milagre. Foi uma ilusão instantânea. Sierva María notou sua chegada, parou de tocar e recaiu na aflição.

Acompanhou-a toda a noite. Ajudou-a na liturgia de ir para a cama com um sem-jeito de papai improvisado. Pôs-lhe pelo avesso a camisola, que ela precisou tirar para vesti-la pelo direito. Foi a primeira vez que a viu nua, e doeu-lhe ver as suas costelas aparecendo, os peitinhos em botão, a penugem tenra. O tornozelo inflamado tinha um halo ardente. Enquanto a ajudava a se deitar, a menina continuava padecendo sozinha com um queixume quase inaudível, e veio-lhe num sobressalto a certeza de que a estava ajudando a morrer.

Sentiu a premência de rezar pela primeira vez desde que perdera a fé. Foi até o oratório, procurando com todas as forças recuperar o deus que o havia abandonado, mas era inútil; a incredulidade resiste mais que a fé, porque os sentidos é que a sustentam. Escutou a menina tossir várias vezes na fresca da madrugada, e foi ao seu quarto.

Ao passar, viu entreaberta a porta da alcova de Bernarda. Empurrou a porta, na ânsia de compartilhar suas dúvidas. Ela estava dormindo no chão, de bruços, e roncando com fragor. O marquês parou, com a mão na aldraba, e não a acordou. Falou para ninguém: "Tua vida pela dela." E logo emendou: "Nossas duas vidas de merda pela dela, caralho!"

A menina dormia. O marquês a viu imóvel e murcha, e se perguntou se preferia vê-la morta ou submetida ao castigo da raiva. Arrumou o mosquiteiro para que os morcegos não a sangrassem, cobriu-a para que não continuasse tossindo e permaneceu velando junto à cama, com o gozo novo de que a amava como nunca havia amado neste mundo. Então tomou a decisão de sua vida, sem consultar a Deus nem a ninguém. Às quatro da manhã, quando Sierva María abriu os olhos, viu-o sentado ao pé da cama.

— Está na hora de irmos — disse o marquês.

A menina se levantou sem mais explicações. O marquês ajudou-a a se vestir para a ocasião. Procurou na arca uns chinelos de veludo, para que o reforço das botinas não lhe machucasse o tornozelo, e encontrou, sem procurá-lo, um vestido de festa que tinha sido da mãe quando criança. Estava desbotado e maltratado pelo tempo, mas era claro que não havia sido usado duas vezes. O marquês vestiu-o quase um século depois em Sierva María por cima dos colares de feitiçaria e do escapulário do batismo. Ficava um tanto apertado, o que de certo modo aumentava sua antiguidade. Também desencavou na arca um chapéu cujas fitas coloridas não tinham nada a ver com o vestido. Estava na justa medida. Por último, acrescentou uma maleta de mão com uma camisola de dormir, um pente de dentes apertados para extrair até as larvas de piolho, e um pequeno breviário da avó, com dobradiças de ouro e capas de nácar.

Era Domingo de Ramos. O marquês levou Sierva María à missa das cinco e ela recebeu de bom grado a palma abençoada sem saber para quê. À saída viram da carruagem o amanhecer. O marquês no assento principal, com a maleta no colo, e a menina impassível no assento em frente, vendo passar pela janela as últimas ruas de seus doze anos. Não manifestou a menor curiosidade por saber para onde a levavam tão cedo vestida de Joana a Louca e com um chapéu de marafona. Depois de uma longa meditação, o marquês lhe perguntou:

— Sabes quem é Deus?

A menina negou com a cabeça. Havia relâmpagos e trovões remotos no horizonte, o céu estava encoberto, e o mar, crespo. Ao dobrarem uma esquina apareceu-lhes o convento de Santa Clara, alvo e solitário, com três pavimentes de persianas azuis sobre um depósito de lixo numa praia. O marquês apontou com o indicador. "Aí está." Depois mostrou à esquerda: "Verás o mar das janelas, a toda hora." Como a menina não se manifestasse, deu-lhe a única explicação que jamais lhe daria sobre o seu destino:

— Vais te acalmar uns dias com as freirinhas de Santa Clara.

Por ser Domingo de Ramos, havia mais mendigos que de costume na porta da roda. Alguns leprosos que com eles disputavam as sobras da cozinha se precipitaram também para o marquês com a mão estendida. A cada um ele deu uma esmola exígua, até onde lhe chegaram as moedas de um quarto de real. A porteira, ao vê-lo com os seus tafetás negros e ver a menina vestida de rainha, adiantou-se para atendê-los. O marquês explicou que levava Sierva María por ordem do bispo. Dada a segurança com que falou, a porteira não teve dúvida. Examinou o aspecto da menina e tirou-lhe o chapéu.

— Aqui é proibido chapéu — disse.

Ficou com ele. O marquês quis entregar-lhe também a maleta, que ela recusou:

— Aqui não lhe faltará nada.

A trança malfeita se desmanchou quase até o chão. A porteira não acreditou que fosse natural. O marquês tentou enrolá-la. A menina afastou-o e se houve sozinha com uma habilidade que surpreendeu a freira.

— Vai ser preciso cortá-la — disse.

— É uma promessa à Virgem Santíssima até o dia em que se casar — disse o marquês.

A porteira se inclinou à razão. Tomou Sierva María pela mão, sem lhe dar tempo para uma despedida, e a passou pela porta da roda. Como o tornozelo lhe doía ao caminhar, a menina tirou o chinelo esquerdo. O marquês a viu afastar-se coxeando do pé descalço e com o chinelo na mão. Esperou em vão que num raro instante de compaixão a filha se voltasse para olhá-lo. A última lembrança que lhe ficou foi a da menina acabando de atravessar a galeria do jardim, a arrastar o pé ferido, até desaparecer no pavilhão das enterradas vivas.

Três

O convento de Santa Clara era um edifício quadrado de frente para o mar, com três andares de numerosas janelas iguais e uma galeria de arcos de meio ponto ao redor de um jardim agreste e sombrio. Havia um caminho de cascalho entre bosques de plátanos e fetos silvestres, uma palmeira esbelta que crescera mais alto que os terraços em busca da luz e de cujos galhos pendiam talos de baunilha e réstias de orquídeas. Debaixo da árvore havia um tanque de águas mortas com uma borda de ferro oxidado onde as araras cativas faziam cabriolas de circo.

O edifício era dividido pelo jardim em dois blocos. À direita ficavam os três pavimentos das enterradas vivas, apenas perturbados pelo rumor da ressaca nos alcantis e pelas rezas e cânticos das horas canônicas. Esse bloco se comunicava com a capela por uma porta interior, para que as freiras de clausura pudessem entrar no coro sem passar pela nave pública, e ouvir missa e cantar por trás de uma gelosia que lhes permitia ver sem ser vistas. O precioso artesoado de madeiras nobres, que se repetia nos tetos de todo o convento, fora feito por um artesão espanhol que lhe dedicou metade da vida pelo direito de ser sepultado num nicho do altar-mor. Ali estava, comprimido atrás das lousas de mármore com quase dois séculos de abadessas e bispos e outros personagens principais.

Quando Sierva María entrou no convento, as freiras de clausura eram oitenta e duas espanholas, todas com suas serviçais, e trinta e seis nativas das grandes famílias do vice-reinado. Depois de fazer votos de pobreza, silêncio e castidade, o único contato que tinham com o exterior eram as raras visitas num parlatório com gelosias de madeira por onde passava a voz mas não a luz. Ficava junto à roda, e seu uso era regulamentado e restrito, sempre com a presença de uma escuta.

À esquerda do jardim ficavam as escolas, as oficinas de tudo, com uma população profusa de noviças e mestras de artesanatos. Ficava a casa de serviço, com uma cozinha enorme de fogões a lenha, uma mesa grande de carniçaria e um forno de pão. Ao fundo havia um pátio sempre alagado pelas águas de lavagem de roupa, onde conviviam várias famílias de escravos, e por último as cocheiras, um curral de cabritos, o chiqueiro, a horta e as colmeias, onde se criava e cultivava todo o necessário para o bem viver.

No fim de tudo, o mais longe possível e largado pela mão de Deus, havia um pavilhão solitário que durante sessenta e oito anos serviu de cárcere da Inquisição, e continuava a sê-lo para clarissas desgarradas. Foi na última cela desse recanto de esquecimento que encerraram Sierva María, noventa e três dias depois de ser mordida pelo cachorro e sem nenhum sintoma de raiva.

A porteira que a tinha levado pela mão encontrou-se no fim do corredor com uma noviça que ia para as cozinhas, e pediu que a levasse até a abadessa. A noviça achou que não era prudente submeter aos rigores do serviço uma menina tão frágil e bem vestida, pelo que a deixou sentada num dos bancos do jardim para buscá-la mais tarde. Esqueceu-a, porém.

Duas noviças que passaram depois interessaram-se pelos colares e anéis da menina e lhe perguntaram quem era. Ela não deu resposta. Perguntaram-lhe se falava castelhano, e foi como interpelar um morto.

— É surda-muda — disse a noviça mais moça.

— Ou alemã — disse a outra.

A mais moça começou a tratá-la como se lhe faltassem os cinco sentidos. Soltou a trança que tinha enrolada no pescoço e a mediu por palmos. "Quase quatro", disse, convencida de que a menina não a ouvia. Começou a desmanchar a trança, mas Sierva María a intimidou com o olhar. A noviça parou e pôs a língua de fora.

— Tens os olhos do diabo — disse.

Tirou-lhe um anel sem resistência, mas quando a outra tentou arrebatar os colares, saltou como uma cobra e deu-lhe na mão uma mordida instantânea e certeira. A noviça correu a lavar o sangue.

Sierva María se levantara para beber água no tanque, quando começaram a cantar a terça. Assustada, retornou ao banco sem beber, mas voltou ao dar-se conta de que eram cânticos de freiras. Afastou a camada de folhas podres com um golpe destro de mão e bebeu no oco até se saciar, sem afastar os bichinhos. Depois urinou atrás da árvore, de cócoras e com um pedaço de pau para se defender de animais abusados e homens peçonhentos, como lhe ensinara Dominga de Adviento.

Pouco depois passaram duas escravas negras que reconheceram os colares de macumba e lhe falaram em iorubá. A menina respondeu entusiasmada na mesma língua. Como ninguém sabia por que ela estava ali, as escravas a levaram até a cozinha tumultuosa, onde foi recebida com alvoroço pela criadagem. Alguém notou a ferida no tornozelo e quis saber o que tinha acontecido. "Foi minha mãe que fez isso com uma faca", disse ela. Aos que perguntaram como se chamava, deu seu nome de negra: Maria Mandinga.

Recuperou na hora o seu mundo. Ajudou a degolar um cabrito que resistia a morrer. Tirou-lhe os dois olhos e cortou os testículos, que eram as partes de que mais gostava. Jogou diabolô com os adultos na cozinha e com as crianças no pátio, e ganhou de todos. Cantou em iorubá, em congo e em mandinga, e mesmo os que não a entendiam escutaram-na enlevados. No almoço comeu um prato com os testículos e os olhos do cabrito, refogados em banha de porco e temperados com especiarias picantes.

A essa altura, todo o convento sabia que a menina estava lá, menos Josefa Miranda, a abadessa. Era uma mulher enxuta e aguerrida, e com uma mentalidade estreita que lhe vinha de família. Formara-se em Burgos, à sombra do Santo Ofício, mas o dom de comando e o rigor de seus preconceitos eram de dentro e de sempre. Tinha duas vigárias competentes, mas desnecessárias, porque ela se ocupava de tudo sem a ajuda de ninguém.

Seu rancor contra o episcopado local começara quase cem anos antes do seu nascimento. A causa primeira, como nos grandes litígios da história, foi uma divergência mínima por questões de dinheiro e de jurisdição entre as clarissas e o bispo franciscano. Dada a intransigência deste, as freiras obtiveram o apoio do governo civil, e assim começou uma guerra que em certo momento chegou a ser de todos contra todos.

Com o respaldo de outras comunidades, o bispo pôs o convento em estado de sítio para dominá-lo pela fome, e decretou *Cessatio a Divinis*. Isto é: a cessação de todo serviço religioso na cidade até nova ordem. A população se dividiu, e as autoridades civis e religiosas se enfrentaram apoiadas por uns ou outros. Entretanto, as clarissas continuavam vivas e em pé de guerra ao termo de seis meses de assédio, até que se descobriu um túnel secreto por onde seus partidários as abasteciam. Os franciscanos, dessa vez com o apoio de um novo governador, violaram a clausura do convento e dispersaram as freiras.

Foram necessários vinte anos para que se acalmassem os ânimos e se restituísse às clarissas o convento desmantelado, mas um século depois Josefa Miranda ainda continuava cozinhando-se a fogo lento em seus rancores. Inculcou-os às noviças, cultivou-os em suas entranhas mais que em seu coração, e encarnou toda a culpa da origem deles no bispo De Cáceres y Virtudes e em tudo que com este se relacionasse. De modo que sua reação era previsível quando lhe avisaram, de parte do bispo, que o marquês de Casalduero trouxera ao convento a filha de doze anos com sintomas mortais de possessão demoníaca. Só fez uma pergunta: "Mas existe esse marquês?" Perguntou com duplo veneno, porque era assunto do bispo e porque sempre negara legitimidade aos nobres crioulos, aos quais chamava "nobres de goteira".

À hora do almoço não se achava Sierva María no convento. A porteira tinha dito a uma vigária que um homem de luto lhe entregara de manhã cedo uma menina loura, vestida como uma rainha, mas não tinha indagado nada a respeito dela porque era justamente a hora em que os mendigos estavam disputando a sopa de farinha de mandioca do Domingo de Ramos. Como prova do que dizia entregou-lhe o chapéu de fitas coloridas. A vigária o mostrou à abadessa quando estavam procurando a menina, e a abadessa não duvidou de quem era. Agarrou-o com a ponta dos dedos e examinou-o à distância do braço.

— Uma senhorita marquesa com um chapéu de criadinha — disse. — Satanás sabe o que faz.

Tinha passado por lá às nove da manhã, a caminho do parlatório, e se demorara no jardim discutindo com os pedreiros os preços de uma obra de canalização, mas não viu a menina sentada no banco de pedra. Também não a viram outras freiras que deviam ter passado por lá várias vezes. As duas noviças que lhe tiraram o anel juraram não a ter visto quando por lá passaram depois de cantar a terça.

A abadessa acabava de fazer a sesta quando ouviu uma canção de uma só voz que enchia o convento. Puxou o cordão do lado da cama e daí a um instante apareceu uma noviça na penumbra do quarto. A abadessa perguntou quem estava cantando com tanto domínio.

— A menina — respondeu a noviça.

Ainda sonolenta, a abadessa murmurou:

— Que voz bonita. — E logo deu um salto. — Que menina?

— Não sei — disse a freira. — Uma que pôs o convento em rebuliço desde hoje de manhã.

— Santíssimo Sacramento! — gritou a abadessa.

Pulou da cama. Atravessou o convento voando e chegou até o pátio de serviço guiada pela voz. Sierva María cantava sentada num banquinho, com a cabeleira estendida pelo chão, no meio da criadagem fascinada. Parou de cantar apenas viu a abadessa. Esta ergueu o crucifixo que trazia pendente do pescoço.

— Ave Maria Puríssima — disse.

— Concebida sem pecado — disseram todos.

A abadessa brandiu o crucifixo como uma arma contra Sierva María.

— *Vade retro* — gritou.

Os criados recuaram, deixando a menina sozinha em seu espaço, com a vista fixa e em guarda.

— Aborto de Satanás — gritou a abadessa. — Ficaste invisível para nos confundir.

Não conseguiram que dissesse uma palavra. Uma noviça quis levá-la pela mão, mas a abadessa a impediu, apavorada:

— Não a toques — gritou. E a seguir, para todos: — Que ninguém a toque.

Acabaram por levá-la à força, esperneando e distribuindo no ar dentadas de cachorro, até a última cela do pavilhão da prisão. No caminho, perceberam que ela estava suja de seus próprios excrementos, e a lavaram a baldes de água no estábulo.

— Tantos conventos nesta cidade e é ao nosso que o marquês manda cocô — protestou a abadessa.

A cela era ampla, de paredes ásperas e pé-direito muito alto, e com nervuras de cupim no madeiramento. Junto à única porta havia uma janela de corpo inteiro com barrotes de madeira torneada e os batentes presos com uma tranca de ferro. Na parede do fundo, que dava para o mar, havia outra janela alta, inutilizada com cruzetas de madeira. A cama era uma base de argamassa com um colchão de fazenda recheado de palha e maltratado pelo uso. Havia um banco fixo de pedra e uma mesa que servia ao mesmo tempo de altar e lavatório, debaixo de um crucifixo solitário pregado na parede. Ali deixaram Sierva María, ensopada até a trança e tiritando de medo, aos cuidados de uma guardiã instruída para ganhar a guerra milenar contra o demônio.

Sentou-se no catre, olhando os barrotes de ferro da porta blindada, e assim a encontrou a criada que lhe trouxe o prato da merenda às cinco da tarde. Não se alterou. Quando a criada quis tirar-lhe os colares, ela a agarrou pelo pulso e a obrigou a soltá-los. Na ata do convento referente àquela noite, a criada declarou que uma força do outro mundo a tinha derrubado.

A menina ficou imóvel enquanto a porta se fechava e se ouvia o barulho da corrente e das duas voltas da chave no cadeado. Viu o que havia para comer: umas pelancas de carne-seca, um bolo de aipim e uma xícara de chocolate. Provou o bolo, mastigou e cuspiu. Deitou-se de costas. Escutou o ofegar das ondas, o vento de água, os primeiros trovões da estação cada vez mais perto. Ao amanhecer do dia seguinte, quando voltou a criada com o desjejum, encontrou-a dormindo em cima dos montes de palha do colchão, que tinha destripado com os dentes e as unhas.

Na hora do almoço deixou-se levar com bons modos ao refeitório das internas sem voto de clausura. Era um salão amplo, com uma abóbada alta e grandes janelas por onde entrava livre a claridade do mar e se ouvia muito próximo o estrondo dos penhascos. Vinte noviças, na maioria jovens, estavam sentadas diante de duas filas de mesas toscas. Vestiam hábitos de estamenha ordinária e tinham a cabeça raspada; eram alegres e apatetadas, e não escondiam a emoção de estar comendo sua ração de quartel na mesma mesa de uma energúmena.

Sierva María estava sentada junto à porta principal, entre duas guardiãs distraídas, e mal provou a comida. Tinham-lhe posto uma bata igual à das noviças, e os chinelos ainda molhados. Ninguém a olhou enquanto comiam, mas no fim várias noviças a rodearam para admirar seus colares. Uma delas procurou arrancá-los. Sierva María se encabritou. Com um repelão, tirou de cima as guardiãs que tentavam subjugá-la. Subiu na mesa, correu de uma ponta a outra gritando como uma possessa de verdade que não se deixa dominar. Quebrou tudo quanto encontrou no caminho, pulou pela janela e desfez os caramanchões do pátio, alvoroçou as colmeias e derrubou as cercas dos estábulos e dos currais. As abelhas se dispersaram e os animais em disparada se precipitaram uivando de pânico até os dormitórios da clausura.

Daí por diante não aconteceu nada que não fosse atribuído ao malefício de Sierva María. Várias noviças declararam para as atas que ela voava com umas asas transparentes que emitiam um zumbido fantástico. Foram necessários dois dias e um piquete de escravos para encurralar o gado e pastorear as abelhas de volta às colmeias, e pôr a casa em ordem. Correram rumores de que os porcos estavam envenenados, de que as águas provocavam visões premonitórias, de que uma das galinhas espantadas saiu voando por cima dos telhados até desaparecer no horizonte do mar. Mas os terrores das clarissas eram contraditórios, pois apesar dos espaventos da abadessa, e do pavor de uma ou outra, a cela de Sierva María se transformou no centro da curiosidade de todas.

A cessação da clausura vigorava desde que se cantavam as vésperas, às sete da noite, até a prima para a missa das seis. As luzes eram apagadas, só permanecendo acesas as das poucas celas que tinham autorização. Contudo, nunca como nessas horas era agitada e livre a vida do convento. Havia um tráfico de sombras pelos corredores, de murmúrios entrecortados e pressas reprimidas. Jogava-se nas celas mais inesperadas, tanto com baralho espanhol como com dados, bebiam-se licores furtivos e fumava-se fumo de corda às escondidas desde que Josefa Miranda o proibiu durante a clausura. Uma menina endemoninhada dentro do convento tinha o fascínio de uma aventura inédita.

Mesmo as freiras mais rígidas escapavam da clausura depois do toque de recolher e iam em grupos de duas ou três conversar com Sierva María. A menina começou recebendo-as com as unhas de fora, mas logo aprendeu a lidar com elas segundo o humor de cada uma e de cada noite. Uma pretensão frequente era a de que lhes servisse de mensageira para pedir favores impossíveis ao diabo. Sierva María imitava vozes de além-túmulo, vozes de degolados, vozes de monstros satânicos, e muitas acreditavam nas peças que pregava e as deram como certas nas atas. Uma patrulha de freiras fantasiadas assaltou a cela uma noite; amordaçaram Sierva María e a despojaram de seus colares sagrados. Foi uma vitória efêmera. Na afobação da fuga, a comandante do assalto tropeçou nas escadas escuras e fraturou o crânio. Suas companheiras não tiveram um instante de paz enquanto não devolveram à dona os colares roubados. Ninguém mais tornou a perturbar as noites da cela.

Para o marquês de Casalduero, foram dias de luto. Mais tempo levou em internar a menina do que em se arrepender de sua medida, e sofreu um acesso de tristeza do qual nunca se refez. Perambulou várias horas em redor do convento, a imaginar em qual de suas janelas incontáveis estava Sierva María pensando nele. Quando voltou à casa, viu Bernarda no pátio tomando a fresca do anoitecer. Estremeceu ao presságio de que ia perguntar-lhe por Sierva María, mas ela apenas o olhou.

Soltou os mastins e deitou-se na rede de alcova com a esperança de um sono eterno. Mas em vão. Os ventos alísios tinham passado, e a noite era ardente. Os pantanais expediam sevandijas de toda espécie aturdidos pelo bochorno e rajadas de pernilongos carniceiros, e era preciso queimar bosta de vaca nos quartos para espantá-los. As almas se derretiam no torpor. O primeiro pé-d'água do ano era esperado com ansiedade, assim como seis meses mais tarde se imploraria que acabasse de chover para sempre.

Apenas despontou a madrugada, o marquês foi à casa de Abrenuncio. Mal acabara de sentar, experimentou por antecipação o imenso alívio de partilhar sua dor. Foi ao assunto sem preâmbulos:

— Entreguei a menina em Santa Clara.

Abrenuncio não entendeu, e o marquês aproveitou seu desapontamento para o golpe seguinte.

— Vai ser exorcizada — disse.

O médico respirou fundo e disse com uma calma exemplar:

— Conte-me tudo.

O marquês contou: a visita ao bispo, seu desejo de rezar, sua determinação cega, sua noite em claro. Foi uma capitulação de cristão velho que não deixou nem um segredo para sua complacência.

— Estou convencido de que foi um mandado de Deus — concluiu.

— Quer dizer que recuperou a fé — disse Abrenuncio.

— Nunca se deixa de crer por completo — disse o marquês. — A dúvida persiste.

Abrenuncio entendeu. Sempre achara que a perda da fé deixava uma cicatriz indelével, que impedia de esquecer. O que lhe parecia inconcebível era submeter uma filha ao castigo dos exorcismos.

— Não há muita diferença em relação às feitiçarias dos negros — disse. — É pior ainda, porque os negros não vão além de sacrificar galos, ao passo que o Santo Ofício se compraz em esquartejar inocentes no potro ou assá-los vivos num espetáculo público.

A participação do padre Cayetano Delaura na visita ao bispo parecia um precedente sinistro. "É um carrasco", disse sem mais rodeios. E se perdeu numa enumeração erudita de antigos autos de fé contra doentes mentais executados como energúmenos ou hereges.

— Acho que matá-la seria mais cristão do que enterrá-la viva — concluiu.

O marquês se benzeu. Abrenuncio olhou-o trêmulo e fantasmal em seus tafetás de luto, e tornou a ver em seus olhos os vaga-lumes de incertezas que nasceram com ele.

— Tire-a de lá — disse.

— É o que eu quero, desde que a vi caminhando para o pavilhão das enterradas vivas — disse o marquês. — Mas não me sinto com forças para contrariar a vontade de Deus.

— Pois sinta-se — disse Abrenuncio. — Talvez Deus lhe agradeça algum dia.

Naquela noite o marquês pediu uma audiência ao bispo. Escreveu a carta do próprio punho, com uma redação embrulhada e caligrafia infantil, e entregou-a em pessoa ao porteiro para estar certo de que chegaria ao destino.

O bispo foi informado na segunda-feira de que Sierva María estava pronta para os exorcismos. Terminara a merenda no terraço de campânulas amarelas e ele não prestou atenção especial ao recado. Comia pouco, mas com uma parcimônia que podia prolongar o ritual por três horas. Sentado diante dele, o padre Cayetano Delaura lia com voz impostada e estilo um tanto teatral. Ambas as coisas convinham aos livros que ele mesmo escolhia a seu gosto e critério.

O velho palácio era grande demais para o bispo, a quem bastavam a sala de visitas e o quarto de dormir, e o terraço descoberto onde dormia as sestas e comia até começar a estação das chuvas. Na ala oposta ficava a biblioteca oficial que Cayetano Delaura tinha criado, enriquecido e sustentado com mão de mestre, e que foi em seu tempo a melhor das Índias. O resto do edifício eram onze aposentos fechados, onde se acumulavam os escombros de dois séculos.

A não ser a freira de turno que servia a mesa, Cayetano Delaura era o único que tinha acesso à casa do bispo durante as refeições, e não por seus privilégios pessoais, como se dizia, mas por sua dignidade de leitor. Não tinha nenhum cargo definido nem outro título além do de bibliotecário, mas era considerado um vigário de fato, por sua proximidade do bispo, e a ninguém ocorria que este tomasse sem ele qualquer decisão importante. Tinha sua cela pessoal numa casa contígua que se comunicava por dentro com o palácio, na qual ficavam os escritórios e os quartos dos funcionários da diocese, e os de meia dúzia de freiras do serviço doméstico do bispo. Mas sua verdadeira casa era a biblioteca, onde trabalhava e lia até quatorze horas diárias, e onde tinha um catre de caserna para dormir quando o sono o surpreendesse.

A novidade daquela tarde histórica foi que Delaura tropeçou diversas vezes na leitura. E, mais insólito ainda, pulou por engano uma página e continuou lendo sem se dar conta. O bispo o observou através dos seus óculos mínimos de alquimista, até que ele passou à página seguinte. Então o interrompeu, divertido:

— Em que pensas?

Delaura teve um sobressalto.

— Deve ser o bochorno — disse. — Por quê?

O bispo continuou fitando-o nos olhos.

— Com certeza é alguma coisa mais que o bochorno — disse. E repetiu no mesmo tom: — Em que estavas pensando?

— Na menina — disse Delaura.

Não foi preciso dizer mais nada, pois desde a visita do marquês inexistia para eles outra menina no mundo. Tinham falado muito nela. Tinham passado juntos em revista as crônicas dos endemoninhados e as memórias dos santos exorcistas. Delaura suspirou:

— Sonhei com ela.

— Como pudeste sonhar com uma pessoa que nunca viste? — perguntou o bispo.

— Era uma marquesinha crioula de doze anos, com uma cabeleira que se arrastava como o manto de uma rainha— disse.— Como podia ser diferente?

O bispo não era homem de visões celestiais, nem de milagres e flagelações. Seu reino era deste mundo. Assim, moveu a cabeça sem convicção e continuou comendo. Delaura recomeçou a leitura com mais cuidado. Quando o bispo acabou de comer, ajudou-o a sentar na cadeira de balanço. Já instalado a seu gosto, o bispo disse.

— Agora conta-me o sonho.

Era muito simples. Delaura tinha sonhado que Sierva María estava sentada defronte de uma janela que dava para um campo coberto de neve, arrancando e comendo uma a uma as uvas de um cacho que tinha no colo. Cada uva arrancada tornava a brotar no cacho. No sonho, era evidente que a menina estava há muitos anos defronte daquela janela infinita tentando acabar o cacho, e que não tinha pressa, por saber que na última uva estava a morte.

— O mais estranho — concluiu Delaura — é que a janela por onde eu olhava o campo era a mesma de Salamanca, naquele inverno em que nevou três dias e os cordeiros morreram sufocados na neve.

O bispo ficou impressionado. Conhecia e gostava demais de Cayetano Delaura para desdenhar dos enigmas de seus sonhos. O lugar que ocupava, tanto na diocese como em seu afeto, fora bem ganho graças aos seus muitos talentos e à sua boa índole. O bispo fechou os olhos para dormir os três minutos da sesta vespertina,

Delaura comeu na mesma mesa, antes de rezarem juntos as orações da noite. Ainda não terminara quando o bispo se estirou na cadeira de balanço e anunciou a decisão de sua vida:

— Toma conta do caso.

Falou sem abrir os olhos e soltou um ronco de leão. Delaura acabou de comer e sentou-se na sua poltrona costumeira, debaixo das trepadeiras em flor. Então o bispo abriu os olhos.

— Não me respondeste — disse.

— Pensei que tinha falado dormindo — disse Delaura

— Agora estou repetindo acordado — disse o bispo. — Confio-te a saúde da menina.

— É a coisa mais estranha que já me aconteceu — disse Delaura.

— Queres dizer que não?

— Não sou exorcista, meu pai — disse Delaura. — Não tenho o caráter nem a formação nem a informação para tanto. E além disso sabemos que Deus me destinou outro caminho.

Assim era. Por empenho do bispo, Delaura estava na lista de três candidatos ao cargo de custódio do acervo sefardita na biblioteca do Vaticano. Mas era a primeira vez que se tocava no assunto entre os dois, embora ambos o soubessem.

— Mais uma razão — disse o bispo. — O caso da menina, se for bem conduzido, pode ser o impulso de que carecemos.

Delaura tinha consciência de sua falta de jeito para se haver com mulheres. Pareciam-lhe dotadas de um uso da razão intransferível para navegar sem tropeços por entre os acasos da realidade. A simples ideia de um encontro com uma criatura indefesa como Sierva María lhe gelava o suor das mãos.

— Não, senhor — decidiu. — Não me sinto capaz.

— Não somente és capaz — replicou o bispo — como tens de sobra o que faltaria a qualquer outro: a inspiração.

Era uma palavra demasiado grande para não ser a última. Todavia, o bispo não o obrigou a aceitar logo, concedeu-lhe um tempo de reflexão, até o luto da Semana Santa, que começava naquele dia.

— Vai ver a menina — disse. — Estuda o caso a fundo e me informa.

Assim foi que Cayetano Alcino del Espíritu Santo Delaura y Escudero, com trinta e seis anos completos, entrou na vida de Sierva María e na história da cidade. Tinha sido aluno do bispo em sua célebre cadeira de teologia em Salamanca, onde se graduou com as notas mais altas de sua turma. Estava convencido de que seu pai era descendente direto de Garcilaso de la Vega, a quem rendia um culto quase religioso, e disso dava conhecimento imediato. Sua mãe era uma nativa de San Martín de Loba, na província de Mompox, que emigrara com os pais para a Espanha. Delaura julgava não ter nada dela, até que foi criado o Novo Reino de Granada e assim ele reconheceu suas saudades herdadas.

Desde a primeira conversa que tiveram em Salamanca, o bispo De Cáceres y Virtudes se sentira diante de um desses valores que ilustravam a cristandade da época. Era uma gelada manhã de fevereiro, pela janela se viam os campos nevados, e ao fundo a fileira de álamos junto ao rio. Aquela paisagem de inverno seria a moldura de um sonho recorrente que iria perseguir o jovem teólogo pelo resto da vida.

Falaram de livros, claro, e o bispo não podia crer que Delaura tivesse lido tanto com sua idade. Ele falou de Garcilaso. O mestre confessou que o conhecia mal, mas se lembrava dele como um poeta pagão que em toda a sua obra só mencionava Deus duas vezes.

— Não tão poucas vezes — disse Delaura. — Mas isso não era raro mesmo entre os bons católicos da Renascença.

No dia em que fez seus primeiros votos, o professor o convidou a acompanhá-lo ao reino incerto de Yucatán, para onde acabava de ser nomeado bispo. A Delaura, que conhecia a vida através de livros, o vasto mundo de sua mãe parecia um sonho que jamais iria ser seu. Custava a imaginar o calor opressivo, a eterna exalação de carniça, os brejos fumegantes, enquanto se desenterravam da neve os carneiros petrificados. Isso era mais fácil ao bispo, que fizera as guerras da África.

— Ouvi dizer que nossos sacerdotes enlouquecem de felicidade nas Índias — disse Delaura.

— E alguns se enforcam — disse o bispo. — É um reino ameaçado pela sodomia, a idolatria e a antropofagia. — E acrescentou, sem preconceitos: — Como terra de mouros.

Mas também achava que esse era o atrativo maior do reino. Faltavam guerreiros tão capazes de impor os bens da civilização cristã como de pregar no deserto. Entretanto, com vinte e três anos, Delaura acreditava ter descoberto o caminho para ficar à direita do Espírito Santo, do qual era devoto absoluto.

— Toda a vida sonhei ser bibliotecário — disse. — É a única coisa para que sirvo.

Tinha participado num concurso para um cargo em Toledo que o colocaria no rumo desse sonho, e estava certo de consegui-lo. Mas o professor era obstinado.

— É mais fácil chegar a santo como bibliotecário em Yucatán do que como mártir em Toledo — disse.

Delaura replicou sem humildade:

— Se Deus me concedesse a graça, eu não quereria ser santo, e sim anjo.

Ainda não acabara de refletir sobre o convite de seu mestre quando foi nomeado em Toledo, mas preferiu Yucatán. Nunca chegaram, porém. Naufragaram no Canal dos Ventos depois de setenta dias de mar bravo e foram resgatados por um comboio desarvorado que os abandonou à própria sorte em Santa Maria la Antigua del Darién. Ali permaneceram mais de um ano, à espera dos correios ilusórios da Frota de Galeões, até que o bispo De Cáceres foi nomeado bispo interino daquelas terras, cuja sede estava vaga com a morte súbita do titular. Vendo a selva colossal de Urabá de bordo da canoa que os levava ao seu novo destino, Delaura reconheceu as saudades que atormentavam sua mãe nos lúgubres invernos de Toledo. Os crepúsculos alucinantes, os pássaros de pesadelo, as podridões deliciosas dos manguezais lhe pareciam doces recordações de um passado que não vivera.

— Só o Espírito Santo seria capaz de arrumar tão bem as coisas para me trazer à terra de minha mãe — disse.

Doze anos depois, o bispo renunciou ao sonho de Yucatán. Tinha feito setenta e três anos bem medidos, estava morrendo de asma e sabia que nunca mais veria nevar em Salamanca. Nos dias em que Sierva María entrou no convento, tinha resolvido aposentar-se, uma vez aberto para seu discípulo o caminho de Roma.

Cayetano Delaura foi no dia seguinte ao convento de Santa Clara. No hábito de lã crua que vestia apesar do calor, levava o acéter de água benta e um estojo com os óleos sacramentais, primeiras armas na guerra contra o demônio. A abadessa nunca o tinha visto, mas o rumor da sua inteligência e do seu poder rompera o sigilo da clausura. Quando o recebeu no parlatório às seis da manhã, impressionaram-na seu ar juvenil, sua palidez de mártir, o metal de sua voz, o enigma de sua mecha branca. Mas nenhuma virtude seria bastante para fazê-la esquecer que ele era o homem de guerra do bispo. Já Delaura só teve a atenção chamada pela barulheira dos galos.

— São apenas seis, mas cantam como se fossem cem — disse a abadessa. — E mais, um porco falou e uma cabra pariu três cabritinhos. — Acrescentou com intenção: — Tudo anda assim desde que o seu bispo fez o favor de nos mandar esse presente envenenado.

Susto igual era dado pelo jardim, que parecia contrariar a natureza, tal o ímpeto com que brotava. À medida que o atravessavam, ela fazia notar a Delaura que havia flores de tamanhos e cores irreais, algumas de cheiros insuportáveis. Achava todo o cotidiano com algo de sobrenatural. A cada palavra, Delaura sentia que a abadessa era mais forte que ele, e apressou-se a afiar suas armas.

— Não afirmamos que a menina está possuída — disse —, mas apenas que há motivo para supô-lo.

— O que estamos vendo fala por si — disse a abadessa.

— Tome cuidado — disse Delaura. — Às vezes atribuímos ao demônio certas coisas que não entendemos, sem cuidar que podem ser coisas que não entendemos de Deus.

— Assim disse Santo Tomás, e é a ele que me atenho — disse a abadessa. — Não se deve acreditar no demônio, nem quando fala a verdade.

No segundo andar começava o sossego. De um lado estavam as celas vazias, fechadas a cadeado durante o dia, e em frente à fileira de janelas abertas ao esplendor do mar. As noviças pareciam não se distrair de seus trabalhos, mas na verdade estavam atentas à abadessa e ao seu visitante quando se dirigiam ao pavilhão da prisão.

Antes de chegar ao fim do corredor, onde ficava a cela de Sierva María, passaram pela de Martina Laborde, uma ex-freira condenada a prisão perpétua por ter matado duas companheiras com uma faca de cozinha. Nunca confessou o motivo. Estava ali havia onze anos e era mais conhecida por suas fugas frustradas do que por seu crime. Jamais aceitou que ficar presa por toda a vida fosse a mesma coisa que ser freira de clausura, e era tão consequente que se oferecera para cumprir a pena como criada no pavilhão das enterradas vivas. Sua obsessão implacável, à qual se dedicou com tanto afinco como à sua fé, era de ser livre mesmo que tivesse que tornar a matar.

Delaura não resistiu à tentação meio infantil de espiar para dentro da cela por entre as barras de ferro do postigo. Martina estava de costas. Ao se sentir olhada, virou-se para a porta, e Delaura experimentou logo o poder de seu feitiço. Inquieta, a abadessa o afastou do postigo.

— Cuidado — disse. — Essa criatura é capaz de tudo.

— Tanto assim? — disse Delaura.

— De tudo — repetiu a abadessa. — Se dependesse de mim, ela estaria em liberdade há muito tempo. É um motivo de perturbação grande demais para este convento.

Quando a guardiã abriu a porta, a cela de Sierva María exalou um bafo de podridão. A menina estava deitada de costas na cama de pedra sem colchão, amarrada de pés e mãos com correias de couro. Parecia morta, mas seus olhos tinham a luz do mar. Delaura a viu igual à do seu sonho; um tremor se apossou de seu corpo e molhou-o de um suor gelado. Fechou os olhos e rezou em voz baixa, com todo o peso de sua fé, e ao terminar tinha recobrado o domínio de si mesmo.

— Mesmo que não estivesse possuída por nenhum demônio — disse —, esta pobre criança tem aqui o ambiente mais propício para ficar possuída.

— Honra que não merecemos — retrucou a abadessa. Explicou que haviam feito o possível para manter a cela em melhor estado, mas Sierva María gerava a sua própria imundície.

— Nossa guerra não é contra ela, mas contra os demônios que a habitem — disse Delaura.

Entrou caminhando na ponta dos pés para evitar as sujeiras do assoalho e aspergiu a cela com água benta, murmurando as fórmulas rituais. A abadessa se apavorou com as manchas que a água ia deixando nas paredes.

— Sangue! — gritou.

Delaura censurou a ligeireza da conclusão. A água vermelha não tinha que ser sangue, e mesmo sendo não havia por que ser coisa do diabo.

— Mais justo seria pensar que se trata de um milagre, e tal poder só a Deus pertence — disse.

Mas não era nem uma coisa nem outra, porque ao secarem na cal as manchas não ficavam vermelhas, e sim de um verde carregado. A abadessa enrubesceu. Não somente às clarissas como a todas as mulheres daquele tempo era vedada qualquer formação acadêmica, mas desde muito jovem, em sua família de teólogos insignes e grandes hereges, ela aprendera a esgrima escolástica.

— Pelo menos — replicou —, não neguemos aos demônios o poder simples de mudar a cor do sangue.

— Nada é mais útil que uma dúvida em tempo — retorquiu Delaura ato contínuo, e mirou-a de frente: — Leia Santo Agostinho.

— Tenho-o lido muito bem — disse a abadessa.

— Pois leia de novo — disse o padre.

Antes de se ocupar da menina, pediu muito afável à guardiã que saísse da cela. Em seguida, sem a mesma gentileza, dirigiu-se à abadessa:

— A senhora também, por favor.

— Sob sua responsabilidade — disse ela.

— O bispo é a hierarquia máxima — disse Delaura.

— Não precisa lembrar — retrucou a abadessa, com uma ponta de sarcasmo. — Já sabemos que os senhores são donos de Deus.

Delaura deu-lhe o prazer da última palavra. Sentou à beira da cama e examinou a menina com rigor de médico. Continuava tremendo, mas já não suava.

Vista de perto, Sierva María apresentava talhos e equimoses, e a pele estava em carne viva pela fricção das correias. Mais impressionante, porém, era a ferida do tornozelo, ardente e supurada por obra da incompetência dos curandeiros.

Enquanto a examinava, Delaura lhe explicou que não a tinham posto lá para martirizá-la, mas por suspeitar que um demônio se metera no seu corpo para roubar-lhe a alma. Precisava de sua ajuda para descobrir a verdade. Mas era impossível saber se ela o escutava, e se compreendia que era uma súplica do coração.

Ao terminar o exame, Delaura mandou buscar um estojo de curativos, mas barrou a entrada da irmã enfermeira. Untou as feridas com bálsamos e aliviou com sopros suaves a ardência da carne viva, admirado da resistência da menina à dor. Sierva María não respondeu a nenhuma de suas perguntas, não se interessou por suas prédicas nem se queixou de nada.

Foi um começo desanimador, que perseguiu Delaura até o remanso da biblioteca. Era o ambiente mais espaçoso da casa do bispo, sem uma só janela, e as paredes cobertas por armários de mogno envidraçados com livros numerosos e em ordem. No centro ficava uma mesa grande com cartas de marear, um astrolábio e outros instrumentos de navegação, e um globo terrestre com acréscimos e emendas feitas a mão por sucessivos cartógrafos à medida que o mundo ia aumentando. Havia no fundo uma rústica mesa de trabalho com o tinteiro, o aparador de penas, as penas de peru nativo para escrever, o pó de secar tinta e uma jarra com um cravo murcho. Todo o ambiente estava em penumbra, e cheirava a papel em repouso, à fresca e ao sossego de uma floresta.

Ao fundo do salão, num espaço mais reduzido, havia umas estantes fechadas com portas de tábuas comuns. Era a prisão dos livros proibidos segundo os expurgatórios da Santa Inquisição, por tratarem de "matérias profanas e fabulosas, e de histórias fictícias". A ela ninguém tinha acesso, salvo Cayetano Delaura, por licença pontifícia para explorar os abismos das letras extraviadas.

Aquele remanso de tantos anos transformou-se num inferno desde que conheceu Sierva María. Não tornaria a se reunir com seus amigos, clérigos e laicos, que com ele partilhavam o deleite das ideias puras e promoviam torneios escolásticos, concursos literários, saraus de música. A paixão se reduziu a entender as astúcias do demônio, e a isso dedicou durante cinco dias e cinco noites suas leituras e meditações, antes de voltar ao convento. Na segunda-feira, ao vê-lo sair com passo firme, o bispo lhe perguntou como se sentia.

— Com as asas do Espírito Santo — disse Delaura.

Vestira a sotaina de algodão ordinário que lhe infundia um ânimo de lenhador e trazia a alma encouraçada contra o desalento. Era o que precisava. À guardiã respondeu com um grunhido ao seu cumprimento, Sierva María o recebeu de cara fechada, e ficava difícil respirar na cela devido aos restos de comida estragada e aos excrementos espalhados pelo chão. No altar, junto à lamparina do Santíssimo, estava intacto o almoço do dia. Delaura apanhou o prato e ofereceu à menina uma colherada de feijão-preto com a banha ressecada. Ela refugou. Várias vezes ele insistiu, e a reação foi igual. Então Delaura comeu a colherada de feijão, tomou-lhe o sabor e engoliu sem mastigar com um ar de genuína repugnância.

— Tens razão — disse. — Isto é infame.

A menina não lhe deu a menor atenção. Ao fazer ele um curativo no tornozelo inflamado, a pele da menina se crispou e seus olhos se umedeceram. Julgou-a vencida, aliviou-a com sussurros de bom pastor, e afinal se atreveu a livrá-la das correias para dar uma trégua àquele corpo estragado. A menina flexionou várias vezes os dedos para sentir que ainda eram dela e esticou os pés entorpecidos pelas amarras. Foi então que encarou Delaura pela primeira vez, pesou-o, mediu-o e partiu para cima dele com um salto certeiro de animal de presa. A guardiã ajudou a dominá-la e amarrá-la. Antes de sair, Delaura tirou do bolso um rosário de sândalo e o colocou em Sierva María por cima dos seus colares de feitiçaria.

O bispo se espantou quando o viu chegar com a cara arranhada e uma mordida na mão que doía só de ver. Mais ainda o espantou, porém, a atitude de Delaura, que mostrava suas feridas como troféu de guerra e zombava do perigo de contrair raiva. Não obstante, o médico do bispo lhe fez um curativo severo, pois era dos que temiam que o eclipse da segunda-feira seguinte fosse o prelúdio de graves desastres.

Em compensação, Martina Laborde, a freira criminosa, não encontrou a menor resistência em Sierva María. Tinha chegado pé ante pé à cela, como por acaso, e a viu amarrada de pés e mãos à cama. A menina se pôs em guarda e manteve os olhos fixos e alertas, até que Martina lhe sorriu. Então ela sorriu também e se entregou sem condições. Foi como se a alma de Dominga de Adviento tivesse saturado o ambiente da cela.

Martina lhe contou quem era e por que estava ali para o resto da vida, embora tivesse perdido a voz de tanto proclamar sua inocência. Quando perguntou a Sierva María por que estava ali presa, ela só pôde responder o que sabia pelo exorcista:

— Tenho um diabo dentro.

Martina não insistiu, achando que ela mentia, ou que lhe haviam mentido, sem saber que era uma das poucas brancas a quem dissera a verdade. Fez-lhe uma demonstração da arte de bordar, e a menina lhe pediu que a desamarrasse para tentar fazer igual. Martina mostrou as tesouras que trazia no bolso da bata com outros utensílios de costura.

— O que queres é que te solte — disse. — Mas previno que se me atacares tenho com que te matar.

Sierva María não pôs em dúvida essa determinação. Solta, repetiu a lição com a facilidade e o bom ouvido com que aprendera a tocar a teorba. Antes de sair, Martina prometeu arranjar a licença para verem juntas o eclipse do sol na segunda-feira seguinte.

Ao amanhecer da sexta-feira, as andorinhas se despediram com uma ampla revoada no céu, e salpicaram ruas e telhados com uma nevada de anil nauseabundo. Foi difícil comer e dormir enquanto o sol do meio-dia não secou o esterco endurecido e o vento da noite não depurou o ar. Mas o terror imperou. Nunca se tinha visto as andorinhas cagarem em pleno voo nem a fedentina de seu excremento perturbar a vida das pessoas.

No convento, ninguém mais pôs em dúvida que Sierva María tivesse poderes suficientes para alterar as leis das migrações. Delaura o sentiu até na dureza do ar, domingo depois da missa, quando atravessava os jardins com uma cestinha de doces comprados nos portais dos mercadores. Sierva María, alheia a tudo, ainda trazia o rosário pendurado no pescoço, mas não respondeu ao seu cumprimento nem se dignou fitá-lo. Ele sentou-se a seu lado, mastigou com deleite uma almojávena da cestinha e disse com a boca cheia:

— Tem gosto de glória.

Aproximou da boca de Sierva María a outra metade. Ela se esquivou, mas sem se virar para a parede, como das outras vezes, e fez sinal a Delaura que a guardiã os espiava. Com um gesto enérgico na direção da porta, ele ordenou:

— Saia daí.

Quando a guardiã se afastou, a menina quis saciar suas fomes atrasadas com a metade da almojávena, mas cuspiu o bocado.

— Tem gosto de titica de andorinha — disse. Contudo, seu humor mudou. Ajudou a sarar as escaras que lhe ardiam nos ombros e pela primeira vez prestou atenção a Delaura quando descobriu que tinha um pano enrolado na mão. Com uma inocência que não podia ser fingida, indagou o que tinha acontecido.

— Foi uma cachorrinha raivosa com um rabo de mais de um metro que me mordeu — disse Delaura.

Sierva María quis ver a ferida. Delaura tirou o pano e ela tocou de leve com o indicador o halo arroxeado da inflamação, como se fosse uma brasa, e riu pela primeira vez.

— Sou pior que a peste — disse.

Delaura não respondeu com os Evangelhos. Citou Garcilaso:

— *"Bem podes fazer isso com quem o possa aguentar."*

Foi embora excitado pela revelação de que uma coisa imensa e irreparável começara a acontecer em sua vida. A guardiã, de parte da abadessa, lhe recordou ao sair que era proibido trazer comida da rua, devido ao risco de que alguém mandasse alimentos envenenados, como ocorrera durante o cerco. Delaura mentiu que tinha levado a cesta com licença do bispo, e fez um protesto formal contra a má qualidade da comida das reclusas num convento famoso por sua boa cozinha.

Durante o jantar, leu para o bispo com uma animação nova. Acompanhou-o nas orações da noite, como sempre, e ficou de olhos fechados para pensar melhor em Sierva María enquanto rezava. Retirou-se para a biblioteca mais cedo que de costume, pensando nela, e quanto mais pensava, mais aumentavam suas ânsias de pensar. Repetiu em voz alta os sonetos de amor de Garcilaso, assustado pela suspeita de que em cada verso havia uma premonição cifrada que tinha alguma coisa a ver com sua vida. Não conseguiu dormir. Ao alvorecer, curvou-se sobre a escrivaninha com a testa apoiada no livro que não leu. Do fundo do sono ouviu os três noturnos das matinas do novo dia no santuário vizinho. "Deus te salve, Maria de Todos os Anjos", disse, adormecido. Sua própria voz o despertou de repente, e ele viu Sierva María com a bata de reclusa e a cabeleira de fogo vivo sobre os ombros, jogando fora o cravo murcho e pondo no lugar um ramo de gardênias recém-nascidas, da floreira da mesa grande. E Delaura, com voz ardente, repetiu Garcilaso: *"Por vós nasci, por vós tenho a vida, por vós hei de morrer e por vós morro."* Sierva María sorriu sem olhá-lo. Ele fechou os olhos para certificar-se de que não era uma ilusão das sombras. Ao abri-los, a visão tinha desaparecido, mas a biblioteca estava impregnada pelo rastro das gardênias.

Quatro

O padre Cayetano Delaura foi convidado pelo bispo a esperar o eclipse debaixo da pérgula de campânulas amarelas, o único lugar da casa que dominava o céu do mar. Os alcatrazes imóveis no ar com as asas abertas pareciam mortos em pleno voo. O bispo se abanava devagar numa rede pendurada em duas forquilhas com cabrestantes de navio, onde acabava de fazer a sesta. Delaura se balançava a seu lado numa cadeira de balanço de vime. Ambos se achavam em estado de graça, tomando refresco de tamarindo e contemplando por cima dos telhados o vasto céu sem nuvens. Pouco depois das duas começou a escurecer, as galinhas se recolheram nos poleiros e todas as estrelas se acenderam ao mesmo tempo. Um calafrio sobrenatural estremeceu o mundo. O bispo ouviu o ruflar de asas das pombas atrasadas que buscavam os pombais em voo cego.

— Deus é grande — suspirou — Até os animais sentem.

A freira de turno levou-lhe um candeeiro e uns vidros enegrecidos para olhar o sol. O bispo se soergueu na rede e começou a observar o eclipse através do cristal.

— Deve-se olhar com um olho só — disse, procurando dominar o assobio de sua respiração. — Se não, corre-se o risco de perder ambos.

Delaura ficou com o vidro na mão, sem olhar o eclipse. Ao fim de um longo período, o bispo o localizou no escuro e viu seus olhos fosforescentes por completo alheios aos sortilégios da falsa noite.

— Em que pensas? — perguntou.

Delaura não respondeu. Viu o sol como uma lua minguante que lhe feriu a retina apesar do vidro escuro. Mas não deixou de olhar.

— Continuas pensando na menina — disse o bispo.

Cayetano teve um sobressalto, embora o bispo fosse dado àqueles acertos com mais frequência do que seria natural.

— Estava pensando que o vulgo pode relacionar seus males com este eclipse— disse. O bispo sacudiu a cabeça sem afastar a vista do céu.

— E quem sabe se não têm razão — disse. — As cartas do baralho do Senhor não são fáceis de ler.

— Este fenômeno foi calculado há milênios pelos astrônomos assírios — disse Delaura.

— É uma resposta de jesuíta — disse o bispo.

Cayetano continuou a olhar o sol sem o vidro, por simples distração. Às duas e doze, parecia um disco negro, perfeito, e por um instante foi meia-noite em pleno dia. Breve, o eclipse recobrou sua condição terrena, e os galos do amanhecer começaram a cantar. Quando Delaura deixou de olhar, a medalha de fogo persistia em sua retina.

— Continuo vendo o eclipse — disse, brincalhão. — Para onde quer que se olhe, lá está ele.

O bispo deu o espetáculo por terminado.

— Daqui a algumas horas desaparece — disse. Estirou-se sentado na rede, bocejou e deu graças a Deus pelo novo dia.

Delaura não tinha perdido o fio.

— Com todo o respeito, meu pai — disse — , não creio que essa criatura esteja possessa.

Dessa vez o bispo se alarmou de verdade.

— Por que o dizes?

— Acho que está só aterrorizada — disse o padre.

— Temos provas de sobra— disse o bispo. — Ou será que não lês as atas?

Sim, Delaura havia estudado a fundo as atas, e achava que eram mais úteis para conhecer a mentalidade da abadessa que o estado de Sierva María. Tinham exorcizado os lugares onde ela estivera na manhã de sua chegada, e tudo quanto tocara. As pessoas que estiveram em contato com ela foram submetidas a abstinências e depurações. A noviça que lhe roubou o anel no primeiro dia foi condenada a trabalhos forçados na horta. Diziam que a menina se deleitara esquartejando um cabrito que degolou com as próprias mãos, e comeu os testículos e os olhos temperados como fogo vivo. Dominava uma porção de línguas, o que lhe permitia entender-se com os africanos de qualquer nação, melhor que eles mesmos entre si, ou com os bichos de qualquer espécie. No dia seguinte à sua chegada, as onze araras cativas que enfeitavam o jardim havia vinte anos apareceram mortas sem motivo. Tinha encantado a criadagem com canções demoníacas, que cantava com voz diferente da sua. Quando soube que a abadessa a procurara, tornou-se invisível só para ela.

— Apesar de tudo — disse Delaura —, creio que o que nos parece demoníaco são costumes dos negros, que a menina aprendeu por causa do abandono em que os pais a deixaram.

— Cuidado! — alertou o bispo. — O Inimigo se aproveita melhor de nossas inteligências que de nossos erros.

— Pois o melhor presente para ele seria que exorcizássemos uma pessoa sã — disse Delaura.

O bispo se encrespou.

— Devo entender que estás em rebeldia?

— Deve entender que mantenho minhas dúvidas, meu pai — disse Delaura. — Mas obedeço com toda humildade.

Assim, voltou ao convento sem convencer o bispo. Trazia no olho esquerdo um parche de caolho que seu médico lhe tinha posto enquanto não se apagava o sol impresso na retina. Sentiu os olhares que o seguiam ao longo do jardim e dos sucessivos corredores até o prédio da prisão, mas ninguém lhe dirigiu a palavra. Em todo o ambiente havia uma convalescença do eclipse.

Quando a guardiã abriu a cela de Sierva María, Delaura sentiu que o seu coração rebentava dentro do peito. Mal se aguentava em pé. Só para sondar o humor da menina, perguntou-lhe se tinha visto o eclipse. Sim, tinha-o visto do terraço. Não entendeu que ele levasse um pano no olho, se ela olhara o sol sem proteção e estava bem. Contou que as freiras tinham visto o eclipse ajoelhadas e que todo o convento tinha parado até que os galos começaram a cantar. Mas ela não achara aquilo nada do outro mundo.

— O que vi é o que se vê todas as noites — disse.

Havia mudado nela alguma coisa que Delaura não era capaz de precisar, e cujo sintoma mais visível era uma ponta de tristeza. Não se enganou. Mal começaram os curativos, a menina fixou nele uns olhos aflitos e falou com voz trêmula:

— Vou morrer.

Delaura estremeceu.

— Quem disse isso?

— Martina — disse a menina.

— Viste-a?

A menina contou que ela havia aparecido duas vezes em sua cela para ensiná-la a bordar, e que tinham visto juntas o eclipse. Falou que era boa e suave, e que a abadessa permitira que desse aulas de bordado no terraço para ver o pôr do sol no mar.

— Ah, sim — disse ele, sem pestanejar. — E disse quando vais morrer?

A menina concordou com os lábios apertados para não chorar.

— Depois do eclipse.

— Depois do eclipse podem ser os próximos cem anos — disse Delaura.

Mas teve de concentrar-se nos curativos para que ela não notasse que tinha um nó na garganta. Sierva María não disse mais nada. Ele tornou a fitá-la, intrigado com o seu silêncio, e viu que tinha os olhos cheios d'água.

— Estou com medo — disse ela.

Jogou-se na cama e desatou num pranto dolorido. Ele se sentou mais próximo e consolou-a com paliativos de confessor. Só então Sierva María soube que Cayetano era o seu exorcista e não médico.

— Então por que me cura? — perguntou.

Ele falou com voz trêmula:

— Porque gosto muito de ti.

Ela não se mostrou sensível à audácia.

De saída, Delaura assomou à cela de Martina. Pela primeira vez de perto, viu que tinha a pele com marcas de varíola, o crânio pelado, o nariz grande demais, e dentes de ratazana, mas seu poder de sedução era um fluido material que logo se sentia. Delaura preferiu conversar do umbral.

— Essa pobre menina já tem motivos demais para estar assustada — disse. — Peço-lhe que não os aumente.

Martina ficou desconcertada. Nunca lhe havia ocorrido prognosticar o dia da morte de ninguém, e muito menos para uma menina tão encantadora e indefesa. Só tinha perguntado pelo seu estado de saúde e com três ou quatro respostas viu que ela mentia por vício. A seriedade com que Martina falou foi bastante para Delaura compreender que Sierva María havia mentido também a ele. Desculpou-se pela precipitação e pediu que não fizesse nada capaz de magoar a menina.

— Eu sempre hei de saber bem o que faço — concluiu.

Martina o envolveu com seu feitiço.

— Sei quem é Vossa Reverência — disse. — E sei que sempre sabe muito bem o que faz.

Mas Delaura tinha uma asa ferida, por comprovar que Sierva María não precisara da ajuda de ninguém para incubar na solidão de sua cela o pânico da morte.

No decorrer daquela semana, madre Josefa Miranda mandou ao bispo um memorial de queixas e reclamações, escrito do próprio punho. Pedia que poupasse às clarissas a tutela de Sierva María, que considerava um castigo tardio por culpas já purgadas de sobra. Enumerava uma nova lista de acontecimentos fenomenais incorporados às atas, e só explicáveis por um contubérnio desenfreado da menina com o demo. O final era uma denúncia indignada da prepotência de Cayetano Delaura, de sua liberdade de pensamento e ojeriza pessoal contra ela, e do abuso de levar comida para o convento, contra as proibições do regulamento.

O bispo mostrou o memorial a Delaura logo que este voltou a casa. Ele o leu de pé, sem mover um músculo da face. Acabou enfurecido.

— Se alguém está possuído por todos os demônios é Josefa Miranda — disse. — Demônios de rancor, de intolerância, de imbecilidade. É detestável!

O bispo se admirou de sua violência. Delaura notou e procurou explicar-se num tom tranquilo.

— Quero dizer que ela atribui tantos poderes às forças do mal que mais parece devota do demônio.

— Minha investidura não permite estar de acordo contigo — disse o bispo. — Mas gostaria de estar.

Repreendeu-o por qualquer excesso que tivesse podido cometer e pediu paciência para aguentar o gênio aziago da abadessa.

— Os Evangelhos estão cheios de mulheres iguais a ela, e com defeitos piores ainda — disse. — E no entanto Jesus Cristo as elogiou.

Não pôde prosseguir, porque uma trovoada retumbou na casa e saiu rolando pelo mar, e um aguaceiro bíblico os afastou do resto do mundo. O bispo estendeu-se na cadeira de balanço e naufragou na nostalgia.

— Como estamos longe! — suspirou.

— De quê?

— De nós mesmos — disse o bispo. — Achas justo que alguém precise de um ano para saber que é órfão? — E, à falta de resposta, desabafou a sua saudade: — Fico aterrorizado só à ideia de saber que na Espanha já tenham dormido esta noite.

— Não podemos interferir na rotação da Terra — disse Delaura.

— Mas poderíamos ignorá-la, para que não nos doa — disse o bispo. — Mais que fé, o que faltava a Galileu era coração.

Delaura conhecia aquelas crises que angustiavam o bispo em suas noites de chuvas tristes, desde que a velhice o tomara de assalto. A única coisa que podia fazer era distraí-lo de suas biles negras até que o sono o vencesse.

Ao fim do mês anunciou-se por édito a próxima chegada do novo vice-rei, dom Rodrigo de Buen Lozano, de passagem para sua sede de Santa Fe. Vinha com um séquito de ouvidores e funcionários, criados e médicos pessoais, além de um quarteto de cordas com que a rainha o presenteara para suportar os tédios das Índias. A vice-rainha, que tinha algum parentesco com a abadessa, pedira que o alojassem no convento.

Sierva María foi esquecida em meio à abrasão da cal viva, aos vapores do alcatrão, ao suplício das marteladas e às blasfêmias tonitruantes das pessoas de todo tipo que invadiram a casa até a clausura. Um andaime caiu com um estrépito colossal, um pedreiro morreu e sete outros operários ficaram feridos. A abadessa atribuiu o desastre aos fados maléficos de Sierva María e aproveitou a nova oportunidade para insistir que a mandassem para outro convento enquanto transcorria o jubileu. Dessa vez, o argumento principal foi que a vizinhança de uma possessa não era recomendável para a vice-rainha. O bispo não deu resposta.

Dom Rodrigo de Buen Lozano era um asturiano maduro e bem-apessoado, campeão de pelota basca e de tiro à perdiz, que compensava com seus encantos os vinte e dois anos a mais sobre a esposa. Ria com todo o corpo, até de si mesmo, e não perdia ocasião de demonstrá-lo. Desde que sentiu as primeiras brisas do Caribe, misturadas com tambores noturnos e cheiros de goiabas maduras, tirou as vestes primaveris e andava de peito de fora por entre as rodas das senhoras. Desembarcou em mangas de camisa, sem discursos nem barulheira de bombardas. Em sua homenagem se autorizaram fandangos, folguedos e cumbés, embora proibidos pelo bispo, bem como corridas de touros e brigas de galo em campo raso.

A vice-rainha era quase adolescente, ativa e um tanto rebelde, e irrompeu no convento como um vendaval de novidade. Não houve canto em que não se metesse, nem problema de que não entendesse, nem nada de bom que não quisesse melhorar. Ao percorrer o convento, queria resolver tudo com a facilidade de uma principiante. Assim, a abadessa considerou prudente poupar-lhe a má impressão do cárcere.

— Não vale a pena — disse. — Só há duas presas, e uma está possuída pelo demônio.

Bastou dizê-lo para despertar o interesse da vice-rainha. Pouco lhe importou que as celas não tivessem sido preparadas nem as presas advertidas. Apenas abriram a porta, Martina Laborde se atirou a seus pés com uma súplica de perdão.

Não parecia fácil, depois de uma fuga frustrada e outra conseguida. Tentara a primeira seis anos antes, pelo terraço do mar, com outras três freiras condenadas por diferentes causas a diversas penas. Uma conseguiu fugir. Foi então que pregaram as janelas e fortificaram o pátio debaixo do terraço. No ano seguinte, as três restantes amarraram a guardiã, que na época dormia no pavilhão, e escaparam por uma porta de serviço. A família de Martina, de acordo com seu confessor, devolveu-a ao convento. Durante quatro longos anos, continuou sendo a única presa sem direito a visitas no parlatório nem à missa de domingo na capela. De modo que o perdão parecia impossível. Contudo, a vice-rainha ficou de interceder junto ao marido.

Na cela de Sierva María, o ar ainda estava áspero por causa da cal viva e do ranço do alcatrão, mas havia uma ordem nova. Mal a guardiã abriu a porta, a vice-rainha se sentiu enfeitiçada por um sopro glacial. Sierva María estava sentada, a bata puída e os chinelos sujos, e costurava devagar num canto iluminado por sua própria luz. Não ergueu os olhos até que a vice-rainha a cumprimentou. Logo percebeu no olhar da menina a força irresistível de uma revelação.

— Santíssimo Sacramento — murmurou, dando um passo para dentro da cela.

— Cuidado — disse-lhe a abadessa ao ouvido. — É como uma onça.

Agarrou-a pelo braço. A vice-rainha não entrou, mas bastou-lhe ver Sierva María para formar o propósito de redimi-la.

O governador da cidade, que era solteiro e mulherengo, ofereceu ao vice-rei um almoço só para homens. O quarteto de cordas espanhol tocou, tocou um conjunto de gaitas e tambores de San Jacinto, fizeram-se danças públicas e mogigangas de negros que eram paródias descaradas dos bailes de brancos. No final, abriu-se uma cortina no fundo da sala e apareceu a escrava abissínia que o governador tinha comprado por seu peso em ouro. Vestia uma túnica quase transparente que aumentava o perigo de sua nudez. Depois de se exibir de perto aos convidados comuns, parou diante do vice-rei e a túnica resvalou pelo seu corpo até os pés.

Sua perfeição era alarmante. A espádua não tinha sido profanada pelo ferro em brasa do traficante, nem as costas pela inicial do primeiro dono, e toda ela exalava um hálito confidencial. O vice-rei empalideceu, tomou fôlego e com um gesto de mão apagou da memória a visão insuportável.

— Levem-na, pelo amor de Deus — ordenou. — Não quero mais vê-la pelo resto de meus dias.

Talvez como represália à fraqueza do governador, a vice-rainha apresentou Sierva María na ceia que a abadessa lhes ofereceu em seu refeitório privado. Martina Laborde prevenira que ela se comportaria bem desde que não tentassem lhe tirar os colares e as pulseiras. Assim aconteceu. Puseram nela o vestido da avó com que chegou ao convento, lavaram e pentearam a cabeleira, solta para que melhor a arrastasse, e a própria vice-rainha a levou pela mão à mesa do marido. Até a abadessa ficou espantada com sua graça, sua luz pessoal e o prodígio da cabeleira. A vice-rainha cochichou ao ouvido do esposo:

— Está possuída pelo demônio.

O vice-rei não quis acreditar. Tinha visto em Burgos uma energúmena que defecou sem parar durante uma noite inteira até o quarto transbordar. Na intenção de poupar a Sierva María um destino semelhante, recomendou-a aos seus médicos. Estes confirmaram a ausência de sintomas de raiva e concordaram com Abrenuncio em que já não era provável que contraísse o mal. Entretanto, ninguém se julgou autorizado a duvidar de que estivesse possuída pelo demônio.

O bispo aproveitou a festa para refletir sobre o memorial da abadessa e a situação final de Sierva María. Cayetano Delaura, por sua parte, tentou a purificação anterior ao exorcismo e fechou-se a bolo de aipim e água na biblioteca. Não conseguiu. Passou noites de delírio e dias em vigília escrevendo versos descomedidos que eram o seu único sedativo para as ânsias do corpo.

Alguns desses poemas foram achados num maço quase indecifrável quando a biblioteca foi desmantelada perto de um século depois. No primeiro, o único legível por completo, ele se recordava aos doze anos, sentado no seu baú escolar sob um tênue chuvisco de primavera, no pátio empedrado do seminário de Ávila. Acabara de chegar de Toledo, depois de uma viagem de dias em lombo de mula, com uma roupa do pai cortada à sua medida, e com aquele baú que pesava duas vezes mais que ele, porque sua mãe tinha posto dentro tudo o que lhe fosse fazer falta para sobreviver com honra até o fim do noviciado. O porteiro ajudou a colocá-lo no centro do pátio, e ali abandonou o menino à sua sorte debaixo do chuvisco.

— Leva-o ao terceiro andar — disse. — Lá te mostrarão o teu lugar no dormitório.

Num instante, o seminário em peso se comprimia nas sacadas do pátio, pendente do que ele iria fazer com o baú, como protagonista único de uma peça de teatro que só ele ignorava. Quando percebeu que não contava com ninguém, tirou do baú as coisas que podia levar nos braços e subiu com elas até o terceiro andar pelas escadas empinadas de pedra viva. O assistente indicou o seu lugar nas duas filas de leitos do dormitório de noviços. Cayetano pôs suas coisas em cima da cama, voltou ao pátio e subiu quatro vezes mais até terminar. Por último, agarrou pela alça o baú vazio e arrastou-o escadas acima.

Os professores e alunos que o viam das sacadas não se viravam para olhá-lo quando ele passava em cada andar. Mas o padre reitor esperou no patamar do terceiro quando ele subiu com o baú, e deu início aos aplausos. Os demais o imitaram com uma ovação. Cayetano soube então que tinha se saído com perfeição no primeiro rito de iniciação do seminário, que consistia em subir com o baú até o dormitório sem perguntar nada e sem ajuda de ninguém. A rapidez de sua inteligência, sua boa índole e a têmpera de seu caráter foram proclamadas como exemplo para o noviciado.

Entretanto, a recordação que mais havia de marcá-lo foi sua conversa daquela noite no escritório do reitor. Fora chamado por causa do único livro que encontraram em seu baú, desmanchado, incompleto e sem capa, tal como o apanhara por acaso numa gaveta do pai. Tinha-o lido até onde pôde nas noites da viagem e estava ansioso para conhecer o fim. O padre reitor queria saber sua opinião.

— Saberei quando acabar de ler — disse ele.

Com um sorriso de alívio, o reitor guardou o livro debaixo de chave.

— Pois não saberás nunca — disse. — É um livro proibido.

Vinte e quatro anos depois, na umbrosa biblioteca do bispado, deu-se conta de que tinha lido quantos livros passaram por suas mãos, autorizados ou não, menos aquele. Estremeceu à sensação de que toda uma vida terminava naquele dia. Outra, imprevisível, principiava.

Começava suas orações da tarde, no oitavo dia de jejum, quando lhe anunciaram que o bispo o esperava na sala para receber o vice-rei. Era uma visita inopinada, mesmo para o vice-rei, a quem a ideia veio de repente, durante o seu primeiro passeio pela cidade. Ficou olhando do terraço florido para os telhados, enquanto eram chamados às pressas os funcionários mais próximos e punha-se um pouco de ordem na sala.

O bispo o recebeu com seis sacerdotes do seu estado-maior. À sua direita tomou assento Cayetano Delaura, apresentado com seu nome completo e sem mais qualquer título. Antes de começar a conversa, o vice-rei examinou com um olhar de comiseração as paredes descascadas, as cortinas rasgadas, os móveis artesanais baratos, os padres empapados de suor dentro de seus hábitos indigentes. O bispo, atingido no seu orgulho, disse: "Somos filhos de José, o carpinteiro." O vice-rei fez um gesto de compreensão e se entregou a um relato de suas impressões da primeira semana. Falou sobre seus planos ilusórios para incrementar o comércio com as Antilhas inglesas, uma vez curadas as feridas da guerra; sobre as vantagens da intervenção oficial na educação, sobre os estímulos às artes e às letras para colocar estes subúrbios coloniais no nível do mundo.

— Os tempos são de renovação — disse.

Mais uma vez, o bispo comprovou a facilidade do poder terrenal. Apontou Delaura com o indicador trêmulo, sem olhar para ele, e disse ao vice-rei:

— Aqui quem está a par dessas novidades é o padre Cayetano.

O vice-rei seguiu a direção do indicador e topou com a fisionomia distante e os olhos atônitos que o fitavam sem pestanejar. Perguntou a Delaura com um interesse real:

— Leste Leibniz?

— Sim, Excelência — disse Delaura, e acrescentou: — Pela natureza do meu cargo.

No final da visita, ficou evidente que o interesse maior do vice-rei era pela situação de Sierva María. Por ela própria, explicou, e pela paz da abadessa, cuja atribulação o comovera.

— Ainda nos faltam provas cabais, mas as atas do convento atestam que essa pobre criança está possuída pelo demônio — disse o bispo. — A abadessa sabe melhor que nós.

— Ela acha que caístes num ardil de Satanás — disse o vice-rei.

— Não somente nós, mas toda a Espanha — disse o bispo. — Atravessamos o mar oceano para impor a lei de Cristo, e o conseguimos nas missas, nas procissões, nas festas dos patronos, mas não nas almas.

Falou de Yucatán, onde tinham construído catedrais suntuosas para esconder as pirâmides pagãs, sem perceber que os aborígines acudiam à missa porque debaixo dos altares de prata seus santuários continuavam vivos. Falou da mixórdia de sangue que tinham feito desde a conquista: sangue de espanhóis com sangue de índios, destes e daqueles com negros de toda laia, até mandingas muçulmanos, e perguntava se tal promiscuidade cabia no reino de Deus. Apesar da sua dificuldade de respirar e de sua tossezinha de velho, terminou sem conceder uma pausa ao vice-rei:

— Que pode ser tudo isso senão armadilhas do Inimigo?

O vice-rei estava alterado.

— O desencanto de Vossa Senhoria Ilustríssima é de extrema gravidade — disse.

— Não o veja assim Vossa Excelência — disse o bispo com muito bons modos. — Procuro tornar mais evidente a força da fé de que necessitamos para que esses povos sejam dignos de nosso sacrifício.

O vice-rei retomou o fio.

— Até onde entendo, os reparos da abadessa são de caráter prático — disse. — Ela acha que talvez outros conventos tenham condições melhores para um caso tão difícil.

— Pois saiba Vossa Excelência que escolhemos Santa Clara sem hesitação, dada a integridade, a eficiência e a autoridade de Josefa Miranda — disse o bispo. — E Deus sabe que estamos certos.

— Permitir-me-ei transmitir essa sua opinião — disse o vice-rei.

— Ela a conhece de sobra — disse o bispo. — O que me inquieta é por que não ousa aceitá-la.

Ao tomar a decisão, sentiu passar a aura de uma crise iminente de asma, e apressou o final da visita. Comunicou que tinha recebido um memorial com as reclamações da abadessa e que prometia resolvê-las com o mais ardente amor pastoral assim que a saúde lhe desse uma trégua. O vice-rei agradeceu e pôs termo à visita com uma cortesia pessoal. Também ele sofria de asma, e ofereceu seus médicos ao bispo. Este não achou necessário.

— Tudo o que é meu está nas mãos de Deus — disse. — Tenho a idade em que a Virgem morreu.

Ao contrário dos cumprimentos, a despedida foi lenta e cerimoniosa. Três dos sacerdotes, entre os quais Delaura, acompanharam em silêncio o vice-rei pelos corredores soturnos até a porta principal. A guarda do vice-rei mantinha afastados os mendigos com uma barreira de alabardas cruzadas. Antes de subir à carruagem, o vice-rei voltou-se para Delaura, apontou-lhe o seu indicador inapelável, e disse:

— Não deixes que me esqueça de ti.

Foi uma frase tão imprevista e enigmática que Delaura só conseguiu responder com uma reverência.

O vice-rei foi até o convento para informar a abadessa sobre os resultados da visita. Horas depois, já com o pé no estribo, e apesar da pressão da vice-rainha, negou o indulto a Martina Laborde, porque lhe pareceu um mau precedente para os muitos réus de lesa-majestade humana que encontrou nas enxovias.

O bispo permanecera inclinado para a frente, tentando conter os assobios de sua respiração, com os olhos fechados, até que Delaura voltou. Os ajudantes já se haviam retirado pé ante pé, e a sala estava na penumbra. Olhando ao redor, o bispo viu as cadeiras vazias alinhadas contra as paredes e Cayetano sozinho na sala. Perguntou-lhe com voz sumida:

— Já vimos um homem tão bom?

Delaura respondeu com um gesto ambíguo. O bispo se ajeitou com um movimento difícil e continuou apoiado no braço da poltrona até dominar a respiração. Não quis jantar. Delaura apressou-se a acender um candeeiro para iluminar o caminho até o quarto.

— Muito mal nos saímos com o vice-rei — disse o bispo.

— Havia alguma razão para nos sairmos bem? — perguntou Delaura. — Não se bate à porta de um bispo sem um anúncio formal.

O bispo não estava de acordo e se explicou com grande vivacidade.

— Minha porta é a porta da Igreja, e ele se comportou como um cristão dos antigos. O impertinente fui eu, por causa do meu mal de peito, e alguma coisa terei de fazer para me escusar.

Já na porta no quarto havia mudado de tom e de assunto, e despediu-se de Delaura com uma palmadinha familiar no ombro.

— Reza por mim esta noite — disse. — Temo que vá ser muito comprida.

De fato, sentiu-se morrer com a crise de asma que pressentira durante a visita. Como não fizessem efeito um vomitório de tártaro e outros paliativos extremos, tiveram que sangrá-lo às pressas. Ao amanhecer, já tinha recobrado o ânimo.

Cayetano, em vigília na biblioteca ao lado, não soube de nada. Começava as rezas da manhã quando vieram anunciar que o bispo o esperava no quarto. Encontrou-o na cama, tomando uma xícara grande de chocolate, acompanhado de pão com queijo, respirando como um fole novo e de espírito exaltado. Bastou a Cayetano vê-lo para saber que suas decisões estavam tomadas.

Assim foi. Contrariando o pedido da abadessa, Sierva María ficava em Santa Clara, e o padre Cayetano Delaura continuava a cuidar dela com a plena confiança do bispo. Não estaria mais em regime carcerário, como até ali, e devia participar das facilidades gerais oferecidas à população do convento. O bispo levava em consideração as atas, mas a falta de rigor delas impedia a clareza do processo, de modo que o exorcista devia proceder segundo o seu próprio critério. Por último, determinou a Delaura que visitasse o marquês em seu nome, com poderes para resolver o que fosse necessário, até que ele tivesse tempo e saúde para atendê-lo em audiência.

— Não haverá mais nenhuma instrução — disse o bispo para terminar. — Que Deus te abençoe.

Cayetano foi ter ao convento com o coração batendo forte, mas não encontrou Sierva María em sua cela. Estava na sala de atos, coberta de joias legítimas e com a cabeleira estendida a seus pés, posando com sua extraordinária dignidade de negra para um célebre retratista da comitiva do vice-rei. Tão admirável quanto sua beleza era a docilidade com que obedecia ao artista. Cayetano caiu em êxtase. Sentado à sombra, e vendo-a sem ser visto, sobrou-lhe tempo para dissipar qualquer dúvida do coração.

À hora nona, o retrato estava terminado. O pintor examinou-o à distância, deu duas ou três pinceladas finais e antes de assinar pediu a Sierva María que o olhasse. Estava idêntica, de pé numa nuvem e no meio de uma corte de diabos submissos. Ela contemplou o retrato sem pressa e se reconheceu no esplendor dos seus anos. Por fim disse:

— É como um espelho.

— Até com os demônios? — perguntou o pintor.

— Assim mesmo — disse ela.

Terminada a pose, Cayetano a acompanhou até a cela. Nunca a tinha visto andar; fazia-o com a mesma graça e facilidade com que dançava. Nunca a tinha visto com outro traje que não fosse a bata de presa, e o vestido de rainha lhe dava uma idade e uma elegância que revelavam até que ponto já era mulher. Nunca tinham caminhado juntos, e era encantadora para ele a naturalidade com que se acompanhavam.

A cela estava diferente graças aos dons de persuasão dos vice-reis, que na visita de despedida tinham convencido a abadessa das boas razões do bispo. O colchão era novo, os lençóis de linho, e os travesseiros de penas, e se haviam posto utensílios para o asseio cotidiano e o banho de corpo. A luz do mar entrava pela janela sem cruzetas e resplandecia nas paredes recém-caiadas. Como a comida era a mesma da clausura, não foi mais necessário levar nada de fora, mas Delaura sempre conseguiu passar de contrabando algumas guloseimas dos portais.

Sierva María quis partilhar a merenda, e Delaura aceitou um dos biscoitinhos que sustentavam o prestígio das clarissas. Enquanto comiam, ela fez um comentário casual:

— Conheci a neve.

Cayetano não se espantou. Em outra época tinham falado de um vice-rei que quis trazer a neve dos Pireneus para que os aborígines a conhecessem, pois ignorava que a tínhamos quase dentro do mar, na Serra Nevada de Santa Marta. Talvez dom Rodrigo de Buen Lozano tivesse realizado a façanha com suas artes novidadeiras.

— Não — disse a menina. — Foi num sonho.

Contou que estava defronte de uma janela e lá fora caía uma nevada forte, enquanto ela arrancava e comia uma por uma as uvas de um cacho no seu colo. Delaura teve um sobressalto de terror. Temendo a iminência da última resposta, perguntou:

— E como acabou?

— Tenho medo de contar — disse Sierva María.

Ele não precisou de mais. De olhos fechados, rezou por ela. Ao terminar, era outro.

— Não te preocupes — disse. — Prometo que muito breve serás livre e feliz, por graça do Espírito Santo.

Bernarda não sabia até então que Sierva María estava no convento. Soube quase por acaso, uma noite em que encontrou Dulce Olivia varrendo e arrumando a casa, e a confundiu com uma de suas alucinações. Em busca de alguma explicação racional, dedicou-se a revistar quarto por quarto, e no percurso se deu conta de que não via Sierva

María há muito tempo. Caridad del Cobre lhe transmitiu o que sabia: "O senhor marquês avisou que ela ia para muito longe e que não a veríamos mais." Como a luz estava acesa no quarto do marido, Bernarda entrou sem bater.

Ele estava acordado na rede, em meio à fumaça da bosta que ardia a fogo lento para espantar os mosquitos. Viu a estranha mulher transfigurada pelo roupão de seda, e também pensou que se tratava de um fantasma, porque estava pálida e sinistra, e parecia vir de muito longe. Bernarda lhe perguntou por Sierva María.

— Há dias que não está conosco — disse ele.

Ela o tomou no pior sentido, e para poder respirar teve que sentar na primeira poltrona que encontrou.

— Quer dizer então que Abrenuncio fez o que era preciso fazer — disse.

O marquês se benzeu:

— Deus nos livre!

Contou a verdade. Teve o cuidado de explicar que não dissera nada antes porque quis tratá-la, conforme ela queria, como se tivesse morrido. Bernarda ouviu-o concentrada, com uma atenção que ele não merecera em doze anos de má vida comum.

— Sabia que ia me custar a vida — disse o marquês.
— Mas em pagamento da vida dela.

Bernarda suspirou:

— Quer dizer que agora nossa vergonha é de domínio público.

Viu nas pálpebras do marido o brilho de uma lágrima, e um tremor lhe subiu das entranhas. Dessa vez não era a morte, mas a certeza inelutável do que mais cedo ou mais tarde havia de acontecer. Não se enganou. O marquês levantou-se da rede com suas últimas forças, desabou diante dela e caiu num choro áspero de velho imprestável. Bernarda capitulou sob o fogo das lágrimas de homem que molharam suas virilhas através da seda. Confessou, apesar de quanto odiava Sierva María, que era um alívio saber que estava viva.

— Sempre entendi tudo, menos a morte — disse.

Tornou a fechar-se no quarto, a melaço e cacau, e quando saiu, duas semanas depois, era um cadáver ambulante. O marquês tinha notado desde muito cedo uns preparativos de viagem, mas não prestou muita atenção. Antes de o sol esquentar, viu Bernarda sair pelo portão do pátio numa mula mansa, seguida por uma outra com a bagagem. Muitas vezes saíra assim, sem arrieiros nem escravos, sem se despedir de ninguém nem dar qualquer explicação. Mas o marquês soube que daquela vez ia embora para nunca mais voltar, porque além dos baús de sempre levava duas bilhas cheias de ouro puro, que manteve enterradas debaixo da cama durante anos.

Jogado de qualquer maneira na rede, o marquês recaiu no pavor de que os escravos o esfaqueassem, e os proibiu de entrar na casa durante o dia. Assim, quando Cayetano Delaura foi visitá-lo por ordem do bispo, teve que empurrar o portão e entrar sem licença, porque ninguém respondeu às batidas da aldraba. Os mastins se assanharam nos canis, mas o padre seguiu adiante. No pomar, com a djellaba sarracena e o gorro toledano, o marquês fazia a sesta na rede, coberto de flores de laranjeira. Delaura o contemplou sem acordá-lo e foi como se visse Sierva María decrépita e esmigalhada pela solidão. O marquês acordou e custou a reconhecê-lo por causa do pano no olho. Delaura levantou a mão com os dedos esticados em sinal de paz.

— Deus o guarde, senhor marquês — disse. — Como tem passado?

— Assim, assim — disse o marquês. — Apodrecendo.

Afastou com mão vagarosa as teias de aranha da sesta e sentou-se na rede. Cayetano pediu desculpas por entrar sem ser convidado. O marquês explicou que ninguém fazia caso da aldraba porque se perdera o hábito das visitas. Delaura declarou em tom solene:

— O senhor bispo, muito atarefado e sofrendo de asma, me manda aqui representando-o. — Cumprido o protocolo inicial, sentou-se junto à rede e foi ao assunto que lhe abrasava as entranhas. — Quero informar-lhe que me foi confiada a saúde espiritual de sua filha.

O marquês agradeceu e quis saber como estava ela.

— Bem — disse Delaura. — Mas quero ajudá-la a ficar melhor ainda.

Explicou o sentido e os métodos dos exorcismos. Falou do poder que Jesus deu a seus discípulos para expulsar dos corpos os espíritos imundos e curar enfermidades e fraquezas. Contou a lição evangélica de Legião e os dois mil porcos endemoninhados. Todavia, o mais importante era estabelecer se Sierva María estava de fato possessa. Ele não acreditava, mas precisava da ajuda do marquês para dissipar qualquer dúvida. Antes de mais nada, queria saber, segundo disse, como era a menina antes de ser internada no convento.

— Não sei — disse o marquês. — Sinto que a conheço menos quanto mais a conheço.

Atormentava-o a culpa de a ter abandonado à própria sorte no pátio dos escravos. A isso atribuía seus silêncios que podiam durar meses, as explosões de violência irracional, a astúcia com que enganava a mãe pendurando nos gatos a campainha que ela lhe prendia no pulso. A maior dificuldade para conhecê-la era o seu vício de mentir por prazer.

— Como os negros — disse Delaura.

— Os negros mentem para nós, não entre eles — disse o marquês.

No quarto, Delaura separou com um simples olhar o que era o profuso legado da avó e os objetos novos de Sierva María: as bonecas vivas, as dançarinas de corda, as caixas de música. Em cima da cama, tal como a arrumara o marquês, continuava a maleta com que a tinha levado ao convento. A teorba coberta de poeira estava relegada a um canto. O marquês explicou que era um instrumento italiano caído em desuso, e exagerou a habilidade da filha no tocá-la. Começou a afiná-la por distração e acabou tocando com boa memória, até cantando a canção que cantava com Sierva María.

Foi um instante revelador. A música disse a Delaura o que o marquês não conseguira dizer da filha. E este se comoveu tanto que não pôde terminar a canção. Suspirou:

— Não imagina como ficava bem de chapéu.

Sua emoção contagiou Delaura.

— Vejo que gosta muito dela — disse.

— Não imagina quanto — disse o marquês. — Eu daria a alma para vê-la.

Mais uma vez Delaura sentiu que o Espírito Santo não saltava o mínimo detalhe.

— Nada será mais fácil se pudermos demonstrar que não está possuída — disse.

— Fale com Abrenuncio — disse o marquês. — Desde o princípio afirmou que Sierva María está sã, mas só ele poderá lhe explicar.

Delaura se viu numa encruzilhada. Abrenuncio talvez lhe fosse providencial, mas falar com ele poderia trazer consequências indesejáveis. O marquês pareceu ler o seu pensamento.

— É um grande homem — disse.

Delaura fez com a cabeça um gesto expressivo.

— Conheço as regras do Santo Ofício — disse.

— Qualquer sacrifício será pouco para recuperá-la — insistiu o marquês. E como Delaura não se manifestava, concluiu: — Peço-lhe pelo amor de Deus.

Delaura, com uma fenda no coração, disse:

— Suplico-lhe que não me faça sofrer mais.

O marquês não insistiu. Apanhou a maletinha em cima da cama e pediu a Delaura que a levasse à filha.

— Pelo menos vai ficar sabendo que penso nela.

Delaura precipitou-se sem se despedir. Embrulhou-se na capa, pois chovia a cântaros, e guardou debaixo a maleta. Custou a notar que sua voz interior ia repetindo versos soltos da canção da teorba. Começou a cantá-la em voz alta, açoitado pela chuva, e a repetiu decorada até o final. No bairro dos artesãos, dobrou à esquerda da ermida, sempre cantando, e bateu na porta de Abrenuncio.

Ao fim de um longo silêncio, ouviram-se passos inseguros e a voz de sono:

— Quem é?

— A lei — disse Delaura.

Foi a única coisa que lhe veio à cabeça para não gritar o nome. Abrenuncio abriu a porta acreditando que era mesmo gente do governo, e não o reconheceu.

— Sou o bibliotecário da diocese — disse Delaura. O médico lhe abriu passagem pelo vestíbulo mergulhado na penumbra e o ajudou a tirar a capa ensopada. No seu estilo próprio, perguntou em latim:

— Em que batalha perdeu esse olho?

Delaura narrou em seu latim clássico o contratempo do eclipse e se estendeu em pormenores sobre a persistência do mal, embora o médico do bispo lhe tivesse assegurado que o parche era infalível. Mas Abrenuncio só deu atenção à pureza do seu latim.

— É de uma perfeição absoluta — disse, maravilhado. — De onde é o senhor?

— De Ávila — disse Delaura.

— Pois maior ainda é o mérito — disse Abrenuncio.

Fez o visitante tirar a batina e as sandálias, colocou-as para secar e pôs-lhe a sua capa de liberto por cima das calças amarfanhadas. Depois tirou-lhe o tapa-olho e o jogou no caixote de lixo.

— A única coisa ruim desse olho é que vê mais do que deve — disse.

Delaura estava pasmo com a quantidade de livros acumulados na sala. Abrenuncio reparou, e levou-o à botica, onde havia muitos mais, em estantes que iam até o teto.

— Espírito Santo! — exclamou Delaura. — Isto é a biblioteca de Petrarca.

— Com uns duzentos livros mais — disse Abrenuncio.

Deixou-o saciar a curiosidade. Havia exemplares únicos que na Espanha podiam dar prisão. Delaura os reconhecia e folheava, guloso, repondo-os nas estantes com dor na alma. Em posição privilegiada, com o eterno *Fray*

Gerundio, encontrou Voltaire completo em francês e uma tradução para o latim das *Cartas filosóficas*.

— Voltaire em latim é quase uma heresia— disse brincando.

Abrenuncio contou que a tradução era de um frade de Coimbra que se dava ao luxo de fazer livros raros para distração de peregrinos. Enquanto Delaura o folheava, o médico perguntou se sabia francês.

— Não falo, mas leio — disse Delaura em latim. E acrescentou sem falsos pudores: — E além disso, grego, inglês, italiano, português e um pouco de alemão.

— Pergunto por causa do que comentou sobre Voltaire — disse Abrenuncio. — É uma prosa perfeita.

— E a que mais nos dói — disse Delaura. — Pena que seja de um francês.

— O senhor diz isso por ser espanhol — disse Abrenuncio.

— Na minha idade, e com tantos sangues cruzados, já não sei mais com certeza de onde sou — disse Delaura. — Nem quem sou.

— Ninguém sabe por estes reinos — disse Abrenuncio. — E creio que precisarão de séculos para saber.

Delaura conversava sem interromper o exame da biblioteca. De repente, como lhe acontecia com frequência, lembrou-se do livro que o diretor do seminário lhe tinha confiscado aos doze anos e do qual só recordava um episódio que tinha repetido ao longo de sua vida a quem pudesse ajudá-lo.

— Lembra o título? — perguntou Abrenuncio.

— Nunca soube — disse Delaura. — E daria qualquer coisa para saber como acaba.

Sem anunciar, o médico o pôs diante de um livro que ele reconheceu ao primeiro golpe de vista. Era uma antiga edição sevilhana dos quatro livros do *Amadís de Gaula*. Delaura, trêmulo, folheou-o e percebeu que estava à beira de renunciar a toda e qualquer salvação. Afinal se atreveu:

— Sabe que este é um livro proibido?

— Como os melhores romances destes séculos — disse Abrenuncio. — Em lugar deles só se imprimem romances para homens doutos. Que leriam esses coitados de hoje se não lessem escondido os romances de cavalaria?

— Há outros — disse Delaura. — Cem exemplares da edição príncipe do Quixote foram lidos aqui no mesmo ano em que saíram.

— Foram lidos, não — disse Abrenuncio. — Passaram pela alfândega a caminho dos diversos reinos.

Delaura não prestou atenção, porque tinha conseguido identificar o precioso exemplar do *Amadís de Gaula*.

— Este livro desapareceu há nove anos do capítulo secreto de nossa biblioteca e nunca mais conseguimos encontrá-lo — disse.

— Era de imaginar — disse Abrenuncio. — Mas há outros motivos para considerá-lo um exemplar histórico: durante mais de um ano circulou de mão em mão, pelo menos entre onze pessoas, e pelo menos três morreram.

Tenho certeza de que foram vítimas de algum eflúvio desconhecido.

— Meu dever seria denunciá-lo ao Santo Ofício — disse Delaura.

Abrenuncio levou na brincadeira:

— Terei dito uma heresia?

— O caso é que tem aqui um livro proibido e alheio, e não denunciou.

— Esse e muitos outros — disse Abrenuncio, assinalando com um amplo círculo do indicador suas prateleiras atulhadas. — Mas se fosse por isso, o senhor teria vindo há muito tempo e eu não lhe abriria a porta. — Voltou-se para ele e arrematou de bom humor: — Mas me alegra que tenha vindo agora, é um prazer vê-lo aqui.

— Foi o marquês, ansioso pela sorte da filha, quem me sugeriu que viesse — disse Delaura.

Abrenuncio o fez sentar diante dele, e os dois se entregaram ao vício da conversação, enquanto uma tempestade apocalíptica convulsionava o mar. O médico fez uma exposição erudita e inteligente sobre a raiva desde a origem da humanidade, sobre seus estragos impunes e a incapacidade milenar da ciência médica para impedi-los. Deu exemplos lamentáveis de como sempre fora confundida com a possessão demoníaca, assim como certas formas de loucura e outras perturbações do espírito. Quanto a Sierva María, depois de tantas semanas, não parecia provável que a contraísse. O único perigo, concluiu Abrenuncio, era que morresse, como tantos outros, em consequência da crueldade dos exorcismos.

A última frase pareceu a Delaura um exagero próprio da medicina medieval, mas ele não discutiu, porque servia bem à sua argumentação teológica de que a menina não estava possuída. Disse que os três idiomas africanos de Sierva María, tão diferentes do espanhol e do português, não tinham de modo algum a carga satânica que lhes atribuíam no convento. Havia numerosos testemunhos de que era dotada de uma força física incomum, mas nenhum de que se tratasse de um poder sobrenatural. Também não se comprovara qualquer ato seu de levitação ou adivinhação do futuro, dois fenômenos que por certo serviam também como provas secundárias de santidade. Contudo, Delaura tinha procurado o apoio de confrades insignes, até mesmo de outras comunidades, e nenhum ousara pronunciar-se contra as atas do convento nem contrariar a credulidade popular. Mas tinha consciência de que nem os seus critérios nem os de Abrenuncio convenceriam a quem quer que fosse, e muito menos os dois juntos.

— Seríamos o senhor e eu contra todos — disse.

— Por isso me surpreendeu que viesse — disse Abrenuncio. — Não sou mais que uma peça cobiçada no território de caça do Santo Ofício.

— A verdade é que nem sei ao certo por que vim — disse Delaura. — A não sei que essa menina me tenha sido imposta pelo Espírito Santo para pôr a prova minha fé.

Bastou dizê-lo para se libertar do nó de suspiros que o oprimia. Abrenuncio olhou-o nos olhos, até o fundo da alma, e percebeu que estava quase a chorar.

— Não se atormente à toa — disse em tom tranquilizador. — Talvez só tenha vindo porque precisava falar nela.

Delaura sentiu-se nu. Levantou-se, procurou o rumo da porta e só não fugiu em disparada porque estava meio despido. Abrenuncio o ajudou a vestir a roupa ainda molhada, enquanto tratava de fazê-lo ficar para continuar a conversa.

— Com o senhor, conversaria sem parar até o próximo século — disse.

Procurou retê-lo com um vidrinho de um colírio transparente para curar a persistência do eclipse no olho. Fê-lo voltar da porta para buscar a maleta que ficara esquecida em algum lugar da casa. Mas Delaura parecia tomado de uma dor mortal. Agradeceu a tarde, o auxílio médico, o colírio, mas a única concessão que fez foi a promessa de voltar outro dia com mais tempo.

Não aguentava mais a vontade de ver Sierva María. Mal notou, na porta, que já era noite fechada. Tinha estiado, mas os canais transbordavam devido ao aguaceiro, e Delaura foi caminhando pelo meio da rua com água pelos joelhos. A porteira do convento quis barrar-lhe a passagem por causa da proximidade do toque de recolher. Ele a empurrou para um lado.

— Ordens do senhor bispo.

Sierva María acordou assustada e não o reconheceu no escuro. Ele não soube explicar por que ia numa hora tão incomum e lançou mão do pretexto:

— Teu pai quer te ver.

A menina reconheceu a maletinha, e seu rosto se incendiou de fúria.

— Mas eu não quero — disse.

Desconcertado, ele perguntou por quê.

— Porque não — disse ela. — Prefiro morrer.

Ele tentou tirar a correia do seu tornozelo esquerdo são, achando que a agradava.

— Deixe-me — disse ela. — Não me toque.

Delaura não ligou e ela soltou-lhe uma série de cusparadas na cara. Ele se manteve firme e lhe ofereceu a outra face. Sierva María continuou a cuspir. Ele tornou a mudar a face, embriagado pela onda de prazer proibido que lhe subiu das entranhas. Cerrou os olhos e rezou com a alma enquanto ela continuava a cuspir, tanto mais feroz quanto mais ele gozava, até que se deu conta da inutilidade de sua raiva. Então Delaura assistiu ao espetáculo pavoroso de uma verdadeira energúmena. A cabeleira de Sierva María se encrespou com vida própria, como as serpentes da Medusa, e de sua boca saiu uma baba verde, uma saraivada de impropérios em línguas de idólatras. Delaura brandiu o crucifixo, aproximou-o da cara dela e gritou aterrado:

— Sai daí, sejas tu quem fores, besta dos infernos!

Seus gritos estimularam os da menina, que estava a ponto de romper as fivelas das correias. A guardiã acudiu assustada e forcejou para dominá-la, mas só Martina o conseguiu com seus modos celestiais. Delaura fugiu.

O bispo estava inquieto porque ele não aparecera para a leitura do jantar. Ele sentiu que flutuava numa nuvem pessoal, onde nada deste mundo ou do outro tinha importância, a não ser a imagem apavorante de Sierva María aviltada pelo diabo. Fugiu para a biblioteca mas não conseguiu ler. Rezou com a fé exacerbada, cantou a canção da teorba, chorou com lágrimas de óleo ardente que lhe abrasavam as entranhas. Abriu a maleta de Sierva María e pôs as coisas uma a uma em cima da mesa. Conheceu-as, cheirou-as com um desejo ávido do corpo, amou-as e falou com elas em hexâmetros obscenos, até que não pôde mais. Então desnudou o torso, tirou da gaveta da mesa de trabalho a disciplina de ferro que nunca ousara tocar e começou a flagelar-se com um ódio insaciável, que não lhe daria trégua até extirpar de suas entranhas o último vestígio de Sierva María. O bispo, que tinha ficado à espera dele, encontrou-o revolvendo-se num lamaçal de sangue e lágrimas.

— É o demônio, meu pai — disse Delaura. — O mais terrível de todos.

Cinco

O bispo chamou Delaura em capítulo a seu escritório e ouviu sem contemplações sua confissão descarnada e completa como se estivesse oficiando não um sacramento, mas uma diligência judicial. A única fraqueza que teve para com ele foi manter em segredo sua verdadeira falta, mas cassou-lhe comissões e privilégios sem qualquer explicação pública e mandou-o servir como enfermeiro de leprosos no hospital do Amor de Deus. O padre implorou o consolo de rezar a missa das cinco para os doentes, o que lhe foi concedido. Ajoelhou-se com uma sensação de alívio profundo e rezaram juntos um pai-nosso. O bispo lhe deu a bênção e o ajudou a levantar-se.

— Que Deus se apiede de ti — disse. E apagou-o de seu coração.

Mesmo depois de começar a cumprir a condenação, altos dignitários da diocese intercederam em seu favor, mas o bispo foi irredutível. Rejeitou a teoria de que os exorcistas acabam possuídos pelos mesmos demônios que pretendem conjurar. Seu argumento final foi que Delaura não se decidira a enfrentá-los com a autoridade inapelável de Cristo, mas incorrera na impertinência de discutir com eles questões de fé. Foi isso, disse o bispo, que comprometeu sua alma e colocou-o à beira da heresia. Mas causou surpresa que o prelado tivesse sido tão severo com seu homem de confiança, por uma culpa que no máximo mereceria uma penitência de velas verdes.

Martina se encarregou de Sierva María com uma dedicação exemplar. Também ela ficara mortificada com a negativa do indulto, mas a menina só o notou numa tarde de bordado no terraço, quando ergueu a vista e a viu banhada em lágrimas. Martina não disfarçou o seu desespero.

— Prefiro estar morta a continuar morrendo nesta prisão.

Sua única esperança, explicou, era o pacto de Sierva María com os demônios. Queria saber quem eram, como eram, como negociar com eles. A menina enumerou seis, e Martina identificou um deles como um demônio africano que certa vez havia perseguido a casa de seus pais. Uma expectativa a animou.

— Quero falar com ele. — E precisou o recado: — Dou minha alma em troca.

Sierva María se deleitou na malvadeza:

— Ele não fala. Basta olhar a cara e já sabe o que quer dizer. — E com toda seriedade prometeu avisá-la para que se encontrasse com o tal na próxima visita.

Cayetano submeteu-se com humildade às condições infames do hospital. Os leprosos, em estado de morte legal, dormiam no chão de terra batida em barracas de folhas de palmeira. Muitos se arrastavam do jeito que podiam. As terças-feiras, dia de curativo geral, eram exaustivas. Cayetano se impôs o sacrifício purificador de lavar os corpos dos doentes em pior estado nas artesas da cocheira. Nisso estava ocupado, na primeira terça-feira da penitência, com a dignidade sacerdotal reduzida ao rude camisolão de enfermeiro, quando apareceu Abrenuncio no alazão presenteado pelo marquês.

— Como vai esse olho? — perguntou.

Cayetano não lhe deu oportunidade para falar de sua desgraça ou se condoer do seu estado. Agradeceu o colírio, que de fato havia apagado da retina a imagem do eclipse.

— Não tem nada que agradecer — disse Abrenuncio. — Dei-lhe o melhor que conhecemos para a ofuscação solar: gotas de água da chuva.

Convidou-o a lhe fazer uma visita. Cayetano explicou que não podia sair sem licença. Abrenuncio não deu importância.

— Se o senhor conhece as fraquezas destes reinos, há de saber que as leis só são cumpridas durante uns três dias

— disse. Colocou a sua biblioteca à disposição do padre para que continuasse seus estudos enquanto aguardava justiça. Cayetano o escutou com interesse mas sem nenhuma ilusão. — Aí lhe deixo essa angústia — concluiu Abrenuncio esporeando o cavalo. — Nenhum deus pode ter feito um talento como o seu para desperdiçá-lo esfregando morféticos.

Na terça seguinte levou-lhe de presente o volume das *Cartas filosóficas* em latim. Cayetano o folheou, farejou por dentro, calculou seu valor. Quanto mais o apreciava, menos entendia Abrenuncio.

— Gostaria de saber por que é tão amável comigo — disse.

— Porque nós ateus não conseguimos viver sem os padres — disse Abrenuncio. — Os pacientes nos confiam seus corpos, mas não suas almas, e nós vivemos como os diabos, tratando de disputá-las com Deus.

— Isso não combina com as suas crenças — disse Cayetano.

— Nem eu mesmo sei quais são elas — disse Abrenuncio.

— O Santo Ofício sabe — disse Cayetano.

Ao contrário do que se poderia esperar, aquele dardo entusiasmou Abrenuncio.

— Venha à minha casa e discutiremos isso com calma — disse. — Não durmo mais de duas horas por noite, e sempre aos bocados, de modo que qualquer momento será bom.

Esporeou o cavalo e partiu.

Cayetano aprendeu depressa que um grande poder não se perde pela metade. As mesmas pessoas que antes disputavam a sua intimidade agora fugiam dele como de um leproso. Seus amigos das artes e letras mundanas se afastaram para não ter problemas com o Santo Ofício. Mas para ele tanto fazia. Só tinha coração para Sierva María, e ainda assim não lhe bastava. Estava convencido de que não haveria oceanos, nem leis da terra ou do céu, nem poderes do inferno que pudessem separá-los.

Uma noite, por uma inspiração desesperada, fugiu do hospital para tentar entrar de qualquer maneira no convento. Havia quatro portas. A principal, que era a da roda; outra de igual tamanho do lado do mar, e duas pequenas de serviço. As duas primeiras eram intransponíveis. Foi fácil a Cayetano localizar da praia a janela de Sierva María no pavilhão da prisão, por ser a única ainda não condenada. Passou em revista palmo a palmo o edifício, procurando em vão uma brecha mínima por onde subir.

Estava prestes a desistir, quando se lembrou do túnel por onde a população abastecia o convento durante a *Cessatio a Divinis*. Os túneis, de quartéis ou de conventos, eram muito da época. Havia nada menos de seis conhecidos na cidade, e outros foram sendo descobertos no curso dos anos com suas arandelas de folhetim. Um leproso que tinha sido coveiro apontou a Cayetano o que buscava, um cano de esgoto em desuso que comunicava o convento com um solar vizinho, onde ficava no século anterior o cemitério das primeiras clarissas. Saía justo debaixo do pavilhão das presas e diante de um muro alto e escabroso que parecia inacessível. Mas Cayetano conseguiu escalá-lo ao cabo de muitas tentativas frustradas, tal como acreditava conseguir tudo: pelo poder da oração.

O pavilhão ficava um remanso na madrugada. Certo de que a vigilante dormia fora, ele só se preocupava com Martina Laborde, que roncava com a porta entreaberta. Até esse momento, a tensão da aventura o mantivera sempre inquieto, mas quando se viu diante da cela, com o cadeado aberto na argola, seu coração disparou. Empurrou a porta com a ponta dos dedos, parou de viver enquanto durou o ranger dos gonzos, e viu Sierva María dormindo à luz da lamparina do Santíssimo. Ela abriu os olhos, mas custou a reconhecê-lo com o camisolão grosso dos enfermeiros de leprosos. Ele mostrou as unhas ensanguentadas.

— Escalei o muro — disse, sem voz.

Sierva María não se comoveu.

— Para quê? — disse.

— Para te ver — disse ele.

Não soube o que mais dizer, atarantado com o tremor das mãos e as frestas da voz.

— Vá embora — disse Sierva María.

Ele fez que não várias vezes com a cabeça, de medo que lhe faltasse a voz.

— Vá embora — repetiu ela. — Ou começo a gritar. — Ele estava tão perto que pôde sentir sua respiração virgem.

— Nem que me matem — disse. Logo se sentiu do lado de lá do terror, e acrescentou com voz firme: — Se vais gritar, podes ir começando.

Ela mordeu os lábios. Cayetano sentou-se na cama e fez um relato minucioso de seu castigo, mas sem dizer as razões. Ela entendeu mais do que ele era capaz de dizer. Olhou sem receio e perguntou por que estava sem o pano no olho.

— Não preciso mais — disse ele, animado. — Agora fecho os olhos e vejo uma cabeleira como um rio de ouro.

Saiu duas horas depois, feliz porque Sierva María concordou que voltasse, desde que trazendo os seus doces prediletos dos portais. Na noite seguinte, chegou tão cedo que ainda havia vida no convento e ela estava com o candeeiro aceso para terminar o bordado de Martina. Na terceira noite, levou mechas e óleo para alimentar a luz. Na quarta, um sábado, ficou várias horas ajudando-a a catar os piolhos que tinham voltado a proliferar na prisão. Quando a cabeleira ficou limpa e penteada, ele sentiu mais uma vez o suor gelado da tentação. Deitou-se ao lado de Sierva María com a respiração opressa e viu seus olhos diáfanos a um palmo dos seus. Ambos ficaram perturbados. Ele, rezando de medo, sustentou o olhar da menina. Ela se atreveu a falar:

— Quantos anos tem?

— Fiz trinta e seis em março — disse ele.

Ela o perscrutou.

— Já é um velhinho — disse com uma ponta de zombaria. Reparou nos sulcos de sua testa e acrescentou com toda a inclemência da idade: — Um velhinho enrugado. — Ele o aceitou de bom humor. Sierva María lhe perguntou por que tinha uma mecha branca.

— É um sinal — disse ele.

— De tintura — disse ela.

— Natural — disse ele. — Minha mãe também tinha.

Até então não deixara de olhá-la nos olhos, e ela não dava mostras de se render. Ele suspirou fundo e recitou:

— *"Ó doces prendas por mim mal achadas."*

Ela não entendeu.

— É um verso do avô de minha tataravó — explicou ele. — Escreveu três éclogas, duas elegias, cinco canções e quarenta sonetos. E a maioria inspirada por uma portuguesa sem maiores encantos que nunca foi dele, primeiro porque era casado e segundo porque ela casou com outro e morreu antes dele.

— Também era frade?

— Soldado — disse ele.

Alguma coisa mexeu no coração de Sierva María, pois ela quis ouvir o verso de novo. Ele o repetiu e dessa vez prosseguiu, com voz firme e bem-articulada, até o último dos quarenta sonetos do cavaleiro do amor e de armas, dom Garcilaso de la Vega, morto na flor da idade por uma pedrada de guerra.

Ao terminar, Cayetano tomou a mão de Sierva María e a pôs sobre seu coração. Ela sentiu lá dentro o fragor da tempestade.

— Estou sempre assim — disse ele.

E sem lhe dar tempo ao pânico, libertou-se da matéria turva que o impedia de viver. Confessou que não passava um instante sem pensar nela, que tudo o que bebia e comia tinha gosto dela, que a vida era ela a toda hora e em toda parte, como só Deus tinha o direito e o poder de ser, e que o gozo supremo de seu coração seria morrer com ela. Continuou falando sem a fitar, com a mesma fluidez e o mesmo calor com que recitava, até que teve a impressão de que Sierva María tinha dormido. Mas ela estava atenta, fixos nele os seus olhos de corça assustada. Apenas se atreveu a perguntar:

— E agora?

— Agora nada — disse ele. — Basta que saibas.

Não pôde continuar. Chorando em silêncio, passou o braço por baixo da cabeça dela, para que lhe servisse de travesseiro, e ela se enroscou a seu lado. Ficaram assim, sem dormir, sem falar, até que os galos começaram a cantar e ele teve que se apressar para chegar a tempo à missa das cinco. Antes de sair, Sierva María o presenteou com um colar de Odudua: dezoito polegadas de contas de nácar e coral.

O pânico foi substituído pelo naufrágio do coração. Delaura não tinha sossego, fazia as coisas de qualquer jeito, flutuava, até a hora feliz em que fugia do hospital para ir ver Sierva María. Chegava ofegante à cela, encharcado pelas chuvas perpétuas, e ela o esperava com ansiedade, mas bastava o sorriso dele para lhe devolver a calma. Uma noite, foi ela quem tomou a iniciativa com os versos que aprendia de tanto ouvir: — *"Quando paro a contemplar meu estado e ver os passos por onde me trouxeste..."* — recitou. E perguntou com picardia: — Como continua?

— *"Eu acabarei, pois me entreguei sem arte a quem me saberá perder e acabar"* — disse ele.

Ela repetiu os versos com a mesma ternura e continuaram até o fim do livro, saltando trechos, pervertendo e tergiversando os sonetos conforme a conveniência, brincando com eles à vontade, com um domínio de donos. De cansaço, pegaram no sono. A guardiã entrou com o desjejum às cinco, em meio à algazarra dos galos, e ambos despertaram assustados. Foi como se a vida parasse para eles. A guardiã pôs o desjejum na mesa, fez uma inspeção de rotina com a lanterna e saiu sem ver Cayetano na cama.

— Lúcifer é incrível — zombou ele ao respirar de novo.
— Também a mim ele tornou invisível.

Sierva María teve que caprichar na sua astúcia para evitar que a guardiã voltasse a entrar na cela aquele dia. Tarde da noite, depois de um dia inteiro de disfarces, se sentiam amados desde sempre. Cayetano, meio de brincadeira e meio a sério, se atreveu a soltar o cordão do espartilho de Sierva María. Ela protegeu o peito com as duas mãos; houve uma chispa de raiva em seus olhos e uma rajada de rubor lhe incendiou o rosto. Cayetano lhe agarrou as mãos com o polegar e o indicador, como se estivessem em fogo vivo, e as afastou do peito.

Ela tentou resistir, e ele lhe opôs uma força terna mas resoluta.

— Repete comigo — disse: — *"Enfim a vossas mãos hei chegado."*

Ela obedeceu.

— *"Onde sei que hei de morrer"* — prosseguiu ele, enquanto abria o espartilho com seus dedos gelados. Ela repetiu quase sem voz, trêmula de medo:

— *"Para que só em mim seja provado o quanto corta uma espada num rendido."*

Então ele a beijou nos lábios pela primeira vez. O corpo de Sierva María estremeceu com um gemido, e ela soltou uma tênue brisa marinha e se abandonou à própria sorte. Ele passou por sua pele as gemas dos dedos, tocando-a muito de leve, e viveu pela primeira vez o prodígio de se sentir em outro corpo. Uma voz interior o fez ver quão longe tinha estado do diabo em suas insônias de latim e grego, nos êxtases da fé, nos ermos da pureza, enquanto ela convivia com todas as potências do amor livre na senzala dos escravos. Deixou-se guiar por ela, tateando no escuro, mas se arrependeu no último instante e desmoronou num cataclismo moral. Ficou deitado de costas, com os olhos fechados. Sierva María se assustou com o seu silêncio e sua quietude de morte, e o tocou com um dedo.

— Que houve? — perguntou.

— Deixa-me agora — murmurou ele. — Estou rezando.

Nos dias seguintes, só tiveram instantes de sossego quando juntos. Não se fartavam de falar sobre as dores do amor. Esgotavam-se em beijos, declamavam chorando com lágrimas copiosas versos de namorados, cantavam um ao ouvido do outro, revolviam-se em pantanais de desejo até o limite de suas forças: exaustos mas virgens. Pois ele decidira manter o seu voto até receber o sacramento, e ela aceitou.

Nas pausas da paixão, trocavam provas excessivas. Ele afirmou que seria capaz de qualquer coisa por ela. Sierva María pediu com crueldade infantil que comesse uma barata. Ele agarrou uma antes que ela pudesse impedir e comeu-a viva. Em outros desafios alucinados, perguntou se ela cortaria a trança por ele, e ela disse que sim, mas avisou entre brincando e séria que só se ele casasse com ela para cumprir a condição da promessa. Ele levou à cela uma faca de cozinha e disse: "Vamos ver se é de verdade." Ela virou-se de costas para que ele pudesse cortar pela raiz. Insistiu: "Tenha coragem." Não teve. Dias depois, ela lhe perguntou se era capaz de se deixar degolar como um cabrito. Ele disse que sim com toda firmeza. Ela agarrou a faca e se dispôs a experimentar. Ele saltou de terror com o calafrio final. "Tu não", disse. "Tu não." Ela, rindo muito, quis saber por que, e ele disse a verdade: "Porque tu, sim, tens coragem."

Nos remansos da paixão, começaram a desfrutar também dos tédios do amor cotidiano. Ela mantinha a cela limpa e arrumada para quando ele chegava com a naturalidade de marido que volta para casa. Cayetano a ensinava a ler e escrever, e a iniciava no culto da poesia e na devoção do Espírito Santo, à espera do dia feliz em que fossem livres e casados.

Ao amanhecer do dia 27 de abril, Sierva María começava a dormir depois que Cayetano deixou a cela, quando entraram sem avisar para buscá-la. Iam iniciar os exorcismos. Foi o ritual de um condenado à morte. Arrastaram-na para o tanque, lavaram-na a baldes de água, despojaram-na aos puxões de seus colares e puseram-lhe o camisolão brutal dos hereges. Uma irmã jardineira cortou-lhe a cabeleira até a altura da nuca com quatro mordidas de uma tesoura de podar e atirou-a numa fogueira acesa no pátio. A irmã cabeleireira acabou de tosar-lhe os cabelos até o tamanho de meia polegada, como usavam as clarissas debaixo da mantilha, e foi lançando-os ao fogo à medida que cortava. Sierva María viu a deflagração dourada, ouviu o crepitar da lenha virgem e sentiu a exalação acre de chifre queimado sem que se movesse um músculo de seu rosto impenetrável. Por fim lhe puseram uma camisa de força, a cobriram com um trapo fúnebre, e dois escravos a levaram à capela numa padiola de soldados.

O bispo tinha convocado o Cabido Eclesiástico, composto de prebendados e esclarecidos, e estes escolheram quatro dos seus para acompanhar o processo de Sierva María. Num último ato de afirmação, o bispo se sobrepôs às misérias de sua saúde. Determinou que a cerimônia não fosse na catedral, como em outras ocasiões memoráveis, mas na capela do convento de Santa Clara, e assumiu em pessoa a execução do exorcismo.

As clarissas, encabeçadas pela abadessa, estavam no coro desde cedo, e ali cantaram as matinas com acompanhamento de órgão, comovidas pela solenidade do dia que despontava. Em seguida entraram os prelados do Cabido Eclesiástico, os prebostes de três ordens e os principais do Santo Ofício. Além destes últimos, não havia nem haveria nenhum laico.

O bispo entrou por último com aparato de grande cerimônia, levado em liteira por quatro escravos, numa aura de aflição inconsolável. Sentou-se defronte do altar-mor, junto ao catafalco de mármore dos funerais grandiosos, numa poltrona giratória que facilitava o movimento do corpo. Às seis em ponto, os dois escravos levaram Sierva María na padiola, com a camisa de força e ainda coberta com o pano roxo.

O calor se tornou insuportável durante a missa cantada. Os baixos do órgão retumbavam no teto, mal deixando lugar para as vozes insípidas das clarissas invisíveis atrás das gelosias do coro. Os dois escravos meio nus que tinham levado a padiola de Sierva María ficaram de guarda junto a ela. No final da missa, a descobriram e deixaram estendida como uma princesa morta sobre o catafalco de mármore. Os escravos do bispo o levaram na poltrona para junto dela, e os deixaram sozinhos num amplo espaço em frente ao altar-mor.

Seguiram-se uma tensão invisível e um silêncio absoluto que pareciam o prelúdio de algum prodígio celestial. Um acólito colocou ao alcance do bispo o acéter com água benta. Ele agarrou o aspersório como se fosse uma maça de guerra, inclinou-se sobre Sierva María e a aspergiu ao longo do corpo murmurando uma oração. Em seguida proferiu o conjuro que estremeceu os alicerces da capela.

— Quem quer que sejas — gritou. — Por ordem de Cristo, Deus e Senhor de tudo o que é visível e invisível, de tudo o que é, que foi e que há de ser, abandona esse corpo redimido pelo batismo e volta às trevas.

Sierva María, fora de si pelo terror, gritou também. O bispo alteou a voz para fazê-la calar, mas ela gritou com mais força. O bispo aspirou fundo e tornou a abrir a boca para continuar o conjuro, mas o ar lhe morreu dentro do peito sem que o pudesse expulsar. Desabou de bruços, boqueando como um peixe fora d'água, e a cerimônia terminou com um estrépito colossal.

Naquela noite, Cayetano encontrou Sierva María tiritando de febre dentro da camisa de força. O que mais o indignou foi o escândalo do crânio pelado.

— Deus do céu — murmurou com uma raiva surda, enquanto a livrava das correias. — Como é possível que permitas tamanho crime? — Logo que se soltou, Sierva María lhe pulou ao pescoço e ficaram abraçados sem falar, ela chorando. Deixou-a desabafar. Depois ergueu-lhe o rosto e disse: — Nada de mais lágrimas. — E concluiu com Garcilaso: — *"Bastam as que por vós tenho chorado."*

Sierva María contou o terrível episódio da capela. Falou do estrondo dos coros que eram como de guerra, dos berros alucinados do bispo, de seu hálito abrasador, de seus belos olhos verdes incendiados pela emoção.

— Parecia o diabo — disse.

Cayetano tentou acalmá-la. Assegurou que apesar de sua corpulência titânica, de sua voz tempestuosa e de seus métodos marciais, o bispo era um homem bom e sábio. De modo que o pavor de Sierva María era compreensível, mas não corria nenhum perigo.

— O que eu quero é morrer — disse ela.

— Te sentes furiosa e derrotada, como me sinto eu por não poder te ajudar — disse ele. — Mas Deus há de nos gratificar no dia da ressurreição.

Tirou o colar de Odudua que Sierva María lhe dera e o pôs nela, em lugar dos que haviam tirado. Estenderam-se na cama, lado a lado, e partilharam seus rancores, enquanto o mundo se apagava e só ia ficando a nervura do cupim no madeirame do teto. A febre cedeu. Cayetano falou no escuro.

— No Apoçalipse está anunciado um dia que não amanhecerá nunca — disse. — Queira Deus que seja hoje.

Sierva María tinha dormido uma hora depois que Cayetano saiu, quando um barulho novo a acordou. Diante dela, acompanhado pela abadessa, estava um padre velho de estatura imponente, a pele parda curtida pelo salitre, com a testa de crinas em pé, as sobrancelhas hirsutas, as mãos de camponês e uns olhos que convidavam à confiança. Antes que Sierva María acabasse de acordar, o padre falou em língua iorubá.

— Trago teus colares.

Tirou-os do bolso, tais como a ecônoma do convento os havia devolvido por exigência dela. À medida que os punha no pescoço de Sierva María, ia enumerando-os e definindo em línguas africanas: o vermelho e branco do amor e do sangue de Xangô, o vermelho e negro da vida e morte de Exu, as sete contas de água e azul pálido de Iemanjá. Passava com facilidade do iorubá ao congo e do congo ao mandinga, e ela o acompanhava com graça e fluidez. Se no fim passou ao castelhano foi por mera consideração com a abadessa, que não acreditava que Sierva María fosse capaz de tanta doçura.

Era o padre Tomás de Aquino de Narváez, ex-fiscal do Santo Ofício em Sevilha e pároco do bairro dos escravos, escolhido pelo bispo para substituí-lo nos exorcismos, em seus impedimentos por motivo de saúde. Sua fama de homem duro não deixava lugar a dúvidas. Tinha levado à fogueira onze hereges, judeus e maometanos, mas seu crédito se baseava sobretudo nas almas generosas que conseguira arrebatar aos demônios mais astuciosos da Andaluzia. Era refinado de gostos e maneiras e tinha a fala suave dos canarinos. Nascera aqui, filho de um procurador do rei que desposou uma escrava quadrarona, e fizera seu noviciado no seminário local, depois de demonstrada a limpeza de sua linhagem por quatro gerações de brancos. Suas boas qualificações lhe asseguraram o doutorado em Sevilha, onde viveu e pregou até os cinquenta anos. De regresso à terra, pediu a paróquia mais humilde, apaixonou-se pela religião e pelas línguas africanas e viveu como mais um escravo entre os escravos. Ninguém parecia mais talhado para se entender com Sierva María e com mais autoridade para enfrentar seus demônios.

Sierva María o reconheceu na hora como um arcanjo de salvação, e não se enganou. Na presença dela, desarticulou os argumentos das atas e demonstrou à abadessa que nenhum deles era terminante. Ensinou-lhe que os demônios da América eram os mesmos da Europa, só que sua invocação e sua conduta eram diferentes. Explicou-lhe as quatro regras usadas para reconhecer a possessão demoníaca e lhe fez ver como era mais fácil ao demônio valer-se delas para que se acreditasse o contrário. Despediu-se de Sierva María com um beliscão de carinho na bochecha.

— Dorme sossegada — disse. — Já andei às voltas com inimigos piores.

A abadessa ficou tão contente que o convidou para o famoso chocolate perfumado das clarissas com biscoitinhos de anis e para as maravilhas de pastelaria reservadas aos eleitos. Enquanto o tomavam no refeitório privado, ele deu instruções para os passos seguintes. A abadessa as aceitou de bom grado.

— Não tenho nenhum interesse em que essa infeliz se saia bem ou mal — disse. — Só quero que vá embora o quanto antes deste convento.

O padre prometeu que se empenharia ao máximo para que fosse questão de dias, talvez de horas. Ao despedir-se no parlatório, ambos satisfeitos, nem um nem outro podiam imaginar que nunca mais tornariam a ver-se.

Assim aconteceu. O padre Aquino, como o chamavam seus paroquianos, foi a pé para sua igreja, pois havia tempo que rezava pouco, e compensava a falta diante de Deus revivendo a cada dia o martírio de suas saudades. Demorou-se nos portais, atordoado com os pregões dos vendedores de tudo, esperando que baixasse o sol para atravessar a lamaceira do porto. Comprou os doces mais baratos e uma fração da loteria dos pobres, com a esperança incorrigível de ganhar para restaurar seu templo perdulário. Entreteve-se uma meia hora conversando com as matronas negras, sentadas como ídolos monumentais diante das miudezas de artesanato expostas no chão em cima de esteiras de juta. Por volta das cinco, atravessou a ponte levadiça de Getsemaní, onde acabavam de pendurar o cadáver de um cachorro gordo e sinistro para se saber que tinha morrido de raiva. O ar cheirava a rosas, e o céu era o mais diáfano do mundo.

O bairro dos escravos, bem à beira do manguezal, tremia de miséria. Nos barracões de barro com tetos de palma, eles conviviam com urubus e porcos, e as crianças bebiam água das poças nas ruas. Apesar disso, era o bairro mais alegre, de cores intensas e vozes radiantes, ainda mais ao entardecer, quando punham de fora as cadeiras para gozar a fresca no meio da rua. O vigário distribuiu os doces entre os meninos do mangue e levou três para jantarem com ele.

A igreja era um rancho de pau a pique com teto de palma amarga e uma cruz de madeira na cumeeira. Tinha bancos de tabuões maciços, um só altar com um só santo e um púlpito de madeira onde o vigário pregava aos domingos em línguas africanas. A casa paroquial era um prolongamento da igreja por trás do altar-mor, onde o vigário vivia em condições da maior pobreza, num quarto com uma cama de vento e uma cadeira tosca. Ao fundo havia um patiozinho pedregoso e um caramanchão de parreiras com cachos murchos, e uma cerca de espinhos que o separava do mangue. A única água de beber era a de um poço de argamassa a um canto do pátio.

Um sacristão velho e uma menina órfã de quatorze anos, ambos mandingas conversos, ajudavam na igreja e na casa, mas eram dispensados depois do rosário. Antes de fechar a porta, o pároco comeu os três últimos doces acompanhados de um copo d'água e despediu-se dos vizinhos sentados na rua com sua fórmula habitual em castelhano.

— Boas e santas noites conceda Deus a todos.

Às quatro da manhã, o sacristão que morava a um quarteirão da igreja deu os primeiros toques para a missa única. Antes das cinco, como o padre demorava, foi procurá-lo no quarto. Não estava. Também no pátio não o achou. Continuou a procurá-lo nos arredores, porque às vezes ia conversar muito cedo nos pátios vizinhos. Não o encontrou. Aos poucos paroquianos que apareceram, anunciou que não havia missa porque não achavam o vigário. Às oito, já com o sol quente, a menina empregada foi tirar água do poço, e lá estava o padre Aquino, boiando de barriga para cima com as calças que vestira para dormir. Foi uma morte triste e muito sentida, um mistério que nunca se esclareceu e que a abadessa proclamou como prova terminante da hostilidade do demônio ao seu convento.

A notícia não chegou à cela de Sierva María, que ficou esperando o padre numa expectativa inocente. Não soube explicar a Cayetano como era ele, mas se disse agradecida pela devolução dos colares e pela promessa de resgatá-la. Até então parecera a ambos que o amor bastava para serem felizes. Foi Sierva María quem compreendeu, desenganada pelo padre Aquino, que a liberdade só dependia deles mesmos. Uma madrugada, depois de longas horas de beijos, implorou a Delaura que não fosse embora. Ele não a levou a sério e despediu-se com mais um beijo. Ela pulou da cama e postou-se diante da porta, de braços abertos.

— Ou não vai ou eu vou junto.

Tinha dito a Cayetano, um dia, que gostaria de se refugiar com ele em San Basilio de Palenque, uma aldeia de escravos fugidos a doze léguas dali, onde com certeza seria recebida como uma rainha. Cayetano achou a ideia providencial, mas não a relacionou com a fuga. Confiava mais em formalismos legais. Esperava que o marquês recuperasse a filha com a comprovação indiscutível de que não estava possuída, e que viriam o perdão e a licença de seu bispo para que ele se integrasse numa comunidade civil onde os casamentos de padres ou de freiras eram tão frequentes que não escandalizavam ninguém. Assim, quando Sierva María o colocou diante do dilema de ficar ou levá-la junto, Delaura tratou mais uma vez de distraí-la. Ela se pendurou ao seu pescoço e ameaçou gritar. Estava amanhecendo. Assustado, Delaura conseguiu livrar-se com um repelão e escapou no momento em que começavam as matinas.

A reação de Sierva María foi feroz. Por uma contrariedade banal, arranhou a cara da guardiã, fechou-se com a tranca e ameaçou pôr fogo na cela e incinerar-se ali se não a deixassem ir embora. A guardiã, fora de si por causa do sangue na cara, gritou:

— Experimenta só, besta de Belzebu.

Como única resposta, Sierva María tocou fogo no colchão com a lamparina do Santíssimo. A intervenção de Martina, com seu jeito tranquilizador, impediu a tragédia. Assim mesmo, a guardiã pediu no seu relatório daquele dia que a menina fosse transferida para uma cela mais segura no pavilhão das enclausuradas.

A ansiedade de Sierva María apressou Cayetano a encontrar uma saída imediata que não fosse a fuga. Em duas ocasiões, tentou se avistar com o marquês e em ambas foi barrado pelos mastins, que encontrou soltos e à vontade na casa sem dono. A verdade era que o marquês não voltara a viver lá. Vencido por seus medos intermináveis, procurara refugiar-se junto a Dulce Olivia, mas esta não o recebeu. Chamou-a por todos os meios possíveis desde que começaram as suas solidões e só obteve respostas de escárnio em gaivotas de papel. De repente apareceu sem ser chamada e sem se anunciar. Varrera e arrumara a cozinha, inservível por falta de uso, e a panela borbulhava a fogo alegre no fogão. Vestia roupa de domingo, com enfeites de organdi, coberta de adereços e bálsamos da moda, e a única coisa que tinha de louca era um chapéu de abas largas com peixes e passarinhos de pano.

— Muito obrigado por teres vindo — disse o marquês. — Eu me sentia muito só. — E concluiu com um lamento: — Perdi Sierva.

— A culpa é tua — disse ela, sem dar importância. — Fizeste tudo para que ela se perdesse.

O jantar foi um cozido à moda nativa, com três tipos de carne e o melhor da horta. Dulce Olivia o serviu com maneiras de dona de casa que combinavam muito bem com o seu traje. Os cachorros bravos a seguiam ofegantes, se embarafustavam entre suas pernas, e ela os tratava com sussurros de noiva. Sentou-se à mesa diante do marquês, como poderia ter acontecido quando eram jovens e não tinham medo do amor. Comeram em silêncio, sem se olhar, suando em bicas e tomando a sopa com um desinteresse de casal velho. Depois do primeiro prato, Dulce Olivia fez uma pausa para suspirar e tomou consciência dos seus anos.

— Assim teríamos sido — disse.

Sua crueza contagiou o marquês. Viu-a gorda e envelhecida, com dois dentes faltando e os olhos murchos. Assim teriam sido, talvez, se ele tivesse tido coragem de contrariar o pai.

— Estás parecendo em teu juízo normal— disse.

— Sempre estive — disse ela. — Tu é que nunca me viste como sou.

— Eu te distingui no baile quando todas eram moças e bonitas e era difícil distinguir a melhor — disse ele.

— Eu me distingui a mim mesma para ti — disse ela.
— Tu, não. Sempre foste como agora: um pobre-diabo.

— Me insultas em minha própria casa — disse ele.

A iminência da briga excitou Dulce Olivia.

— É tão minha como tua — disse. — Como também é minha a menina, apesar de ter sido parida por uma cadela.— E sem dar tempo à réplica, concluiu: — E o pior são as mãos malvadas em que a entregaste.

— As mãos de Deus — disse ele.

Dulce Olivia berrou enfurecida:

— As mãos do bispo, que a deixou acabar puta e prenha.

— Se morderes a língua, morres envenenada! — gritou o marquês, horrorizado

— Sagunta aumenta, mas não mente — disse Dulce Olivia. — E não tentes me humilhar, porque só resto eu para te empoar a cara quando morreres.

Era o final de sempre. Suas lágrimas começaram a cair no prato como se fossem grandes gotas de sopa. Os cães tinham dormido, mas quando a tensão da briga os despertou, levantaram as cabeças alertas e grunhiram com a garganta. O marquês sentiu que o ar lhe faltava.

— Estás vendo? — disse, furioso. — É assim que teríamos sido.

Ela se levantou sem terminar. Deixou a mesa, lavou pratos e panelas com uma raiva sórdida, e à medida que lavava ia quebrando a louça na pia. Ele a deixou chorar, até que esvaziou os destroços das vasilhas como uma avalancha de granizo no caixote de lixo. Saiu sem se despedir. O marquês nunca soube, nem ninguém soube, em que momento Dulce Olivia deixara de ser ela própria e só continuava sendo uma aparição nas noites da casa.

O boato falso de que Cayetano Delaura era filho do bispo substituíra o mais antigo de que eram amantes desde Salamanca. A versão de Dulce Olivia, confirmada e pervertida por Sagunta, dizia com efeito que Sierva María estava sequestrada no convento para saciar os apetites satânicos de Cayetano Delaura e que tinha concebido um filho de duas cabeças. Suas bacanais, dizia Sagunta, contaminaram toda a comunidade das clarissas.

O marquês nunca mais se refez. De rastos no pantanal da memória, procurou um abrigo contra o terror e só encontrou a lembrança de Bernarda engrandecida pela solidão. Procurou conjurá-la com as coisas que mais odiava nela, suas ventosidades fedorentas, suas respostas ríspidas, seus joanetes de galo, e quanto mais queria aviltá-la mais suas recordações a idealizavam. Derrotado pelas saudades, mandou-lhe recados de sondagem para o trapiche de Mahates, onde supunha que ela estivesse, e de fato estava. Mandou dizer que esquecesse os rancores e voltasse para casa, para que os dois tivessem ao menos com quem morrer. Não recebendo resposta, foi procurá-la.

Teve que remontar os afluentes da memória. A fazenda, que tinha sido a melhor do vice-reinado, estava reduzida a nada. Era impossível distinguir a estrada no meio do capinzal. Do engenho só restavam as ruínas, as máquinas carcomidas pela ferrugem, as ossadas dos dois últimos bois ainda unidas pela canga ao braço do trapiche. O poço dos suspiros era a única coisa que parecia com vida à sombra das cuieiras. Antes de vislumbrar a casa entre os restos calcinados dos canaviais, o marquês sentiu o perfume dos sabonetes de Bernarda, que acabou sendo o seu cheiro natural, e só então se deu conta de como estava ansioso por vê-la. Na varanda do pórtico, sentada numa cadeira de balanço e comendo cacau com o olhar imóvel no horizonte, lá estava ela. Vestia uma saia de algodão cor-de-rosa e tinha o cabelo ainda molhado do banho recente no poço dos suspiros.

O marquês cumprimentou-a antes de subir os três degraus do pórtico: "Boa tarde." Bernarda respondeu sem olhar para ele, como se o cumprimento tivesse sido de ninguém. O marquês subiu à varanda e dali percorreu o horizonte completo com um olhar contínuo por cima do capinzal. Até onde a vista alcançava, só se viam morros agrestes para além das cuieiras do poço.

— Que fim levou o pessoal? — perguntou.

Bernarda, tal como fazia o pai, tornou a responder sem o encarar.

— Foram todos embora — disse. — Não há uma criatura viva em cem léguas ao redor.

Ele entrou em busca de uma cadeira. A casa estava deteriorada, e uns arbustos com florezinhas murchas despontavam por entre os tijolos do assoalho. Na sala de jantar estava a mesa antiga com as mesmas cadeiras corroídas pelo cupim, o relógio parado numa hora de quem sabia quando, e em todo o ar havia uma poeira invisível que se sentia ao respirar. O marquês levou uma das cadeiras, sentou perto de Bernarda e falou em voz muito baixa:

— Vim por tua causa.

Bernarda não se alterou, mas fez com a cabeça uma afirmação apenas perceptível. Ele contou as condições em que estava: a casa solitária, os escravos à espreita detrás dos arbustos com punhais na mão, as noites intermináveis.

— Aquilo não é vida — disse.

— Nunca foi — disse ela.

— Talvez pudesse ser — disse ele.

— Não diria isso se soubesse quanto o odeio — disse ela.

— Também eu sempre acreditei que a odiava — disse ele. — Mas agora me acontece que não tenho certeza disso.

Bernarda lhe abriu então suas entranhas, para que ele se visse dentro à luz do dia. Contou como o pai a tinha mandado à casa, com o pretexto dos arenques e das azeitonas, como o enganaram com o velho truque da leitura da mão, como concordaram que ela o violasse quando ele se fazia de desentendido e como tinham planejado a manobra fria e certeira de conceber Sierva María para agarrá-lo por toda a vida. A única coisa que ele devia agradecer era ter-lhe faltado coragem para o último ato combinado com o pai: misturar láudano na sopa para não precisar aguentá-lo mais.

— Eu mesma me pus a corda no pescoço — disse. — Mas não me arrependo. Seria demais esperar que, além de tudo, eu tivesse que amar essa pobre coitada nascida de sete meses, ou a você, que foi a causa de minha desgraça.

Mas o último degrau de sua ruína tinha sido a perda de Judas Iscariotes. Procurando-o em outros, ela se entregou à fornicação desbragada com os escravos do trapiche, que era o que mais nojo lhe dava antes de ousar pela primeira vez. Escolhia-os nas quadrilhas e os despachava em fila indiana na orla dos bananais até que o mel fermentado e as barras de cacau acabaram com os seus encantos, e ela ficou inchada e feia, e o ânimo não lhe chegava para tanto corpo. Então começou a pagar. Primeiro com bugigangas para os mais moços, segundo a beleza e o calibre, e afinal em ouro puro com os que conseguia. Custou demais a descobrir que fugiam em massa para San Basilio de Palenque, para se porem a salvo de sua voracidade insaciável.

— Aí eu senti que era capaz de matá-los a golpes de facão — disse, sem uma lágrima. — E não só eles, mas também você e a menina, e o velhaco do meu pai e todo aquele que tivesse cagado no meu caminho. Mas não era mais ninguém para matar alguém.

Ficaram em silêncio, contemplando o pôr do sol sobre as brenhas. Ouviu-se no horizonte um tropel de animais remotos, e uma voz de mulher inconsolável os chamou pelos nomes, um por um, até que anoiteceu. O marquês suspirou:

— Estou vendo que não tenho nada que lhe agradecer.

Levantou-se sem pressa, tornou a pôr a cadeira no lugar, e foi embora por onde tinha vindo, sem se despedir e sem uma luz. A única coisa que se encontrou dele, dois verões mais tarde, numa estrada sem rumo, foi a ossada carcomida pelos urubus.

Martina Laborde fez aquele dia uma sessão de bordado que durou a manhã inteira, para terminar um trabalho atrasado. Almoçou na cela de Sierva María e de lá foi à sua para fazer a sesta. De tarde, já nos últimos pontos, falou com uma estranha tristeza.

— Se um dia saíres desta prisão, ou se eu sair primeiro, lembra-te sempre de mim — disse. — Será a minha única glória.

Sierva María só foi entender no dia seguinte, quando a guardiã a acordou aos berros porque Martina não tinha amanhecido em sua cela. Revistaram o convento de cabo a rabo e não encontraram um rasto. A única notícia que teve dela foi um papel escrito com sua letra floreada, que Sierva María encontrou debaixo do travesseiro: *Rezarei três vezes por dia para que sejam muito felizes.*

Estava ainda aturdida pela surpresa, quando entrou a abadessa com as vigárias e outras reverendas de infantaria, com uma patrulha de guardas armados de mosquetes. Estendeu uma mão colérica para tocar Sierva María e gritou:

— És cúmplice e vais ser castigada.

A menina levantou a mão livre com uma decisão que paralisou a abadessa onde estava.

— Vi quando saíram.

A abadessa ficou atônita.

— Não estava sozinha?

— Eram seis — disse Sierva María.

Não parecia possível, e menos ainda que saíssem pelo terraço, cuja única via de escape era o pátio fortificado.

— Tinham asas de morcego — disse Sierva María batendo os braços. — Abriram as asas no terraço e a levaram voando, voando, até o outro lado do mar.

O capitão da patrulha se benzeu, espantado, e caiu de joelhos.

— Ave Maria Puríssima — disse.

— Concebida sem pecado original — disseram em coro.

Foi uma fuga perfeita, planejada por Martina nos mínimos detalhes, em sigilo absoluto, logo que descobriu que Cayetano passava as noites no convento. A única coisa que não previu, ou que não lhe importou, foi que devia fechar por dentro a entrada do túnel para evitar qualquer suspeita. Os que investigavam a fuga o encontraram aberto, o exploraram, descobriram a verdade e vedaram logo as duas extremidades. Sierva María foi levada à força para uma cela com cadeado no pavilhão das enterradas vivas. Nessa noite, sob um luar esplêndido, Cayetano machucou os punhos tentando derrubar a vedação do túnel.

Arrebatado por uma força louca, correu em busca do marquês. Empurrou o portão sem bater e entrou na casa deserta, cuja luz de dentro era a mesma da rua, porque as paredes caiadas pareciam transparentes ao luar. A limpeza, a arrumação dos móveis, as flores dos canteiros, tudo era perfeito na casa abandonada. O ranger dos gonzos tinha assanhado os mastins, mas Dulce Olivia os fez calar de chofre com uma ordem marcial. Cayetano a viu nas sombras verdes do pátio, bela e fosforescente, vestida de marquesa, o cabelo enfeitado com camélias vivas de cheiros frenéticos, e ergueu a mão cruzando o índice e o polegar.

— Em nome de Deus, quem é a senhora? — perguntou
— Uma alma penada — disse ela. — E o senhor?

— Sou Cayetano Delaura — disse ele — e venho pedir de joelhos ao senhor marquês que me ouça por um instante.

Os olhos de Dulce Olivia cintilaram de fúria.

— O senhor marquês me disse que nada tem a ouvir de um rufião.

— E quem é a senhora para afirmar isso com tamanha certeza?

— Sou a rainha desta casa — disse.

— Pelo amor de Deus — disse Delaura. — Avise ao marquês que venho falar da filha dele. — E sem mais rodeios, com a mão no peito:— Morro de amor por ela.

— Uma palavra mais e solto os cachorros — disse Dulce Olivia indignada, e apontou a porta: — Fora daqui.

Era tal a força de sua autoridade que Cayetano deixou a casa andando de costas, sem a perder de vista.

Na terça-feira, quando Abrenuncio entrou em seu cubículo do hospital, encontrou Delaura arrasado por suas vigílias mortais. Este contou-lhe tudo, desde os motivos reais de seu castigo até as noites de amor na cela. Abrenuncio ficou perplexo.

— Teria imaginado qualquer coisa de você, menos esses extremos de loucura.

Cayetano, por sua vez surpreendido, perguntou:

— Nunca passou por isso?

— Nunca, meu filho — disse Abrenuncio. — O sexo é um talento que eu não tenho.

Procurou dissuadi-lo. Disse que o amor era um sentimento contra a natureza, que condenava dois desconhecidos a uma dependência mesquinha e malsã, tanto mais efêmera quanto mais intensa. Mas Cayetano não o ouviu. Sua obsessão era fugir para o mais longe possível do jugo do mundo cristão.

— Só o marquês pode nos ajudar com a lei — disse. — Quis implorar-lhe de joelhos, mas não o encontrei em casa.

— Não o encontrará nunca— disse Abrenuncio. — Os rumores que chegaram a ele dizem que o senhor abusou da menina. E agora vejo que do ponto de vista de um cristão ele está certo.— Fitou o nos olhos: — Não teme se condenar?

— Condenado acho que já estou, mas não pelo Espírito Santo — disse Delaura sem perder a calma. — Sempre acreditei que ele leva em conta mais o amor do que a fé.

Abrenuncio não pôde esconder a admiração que lhe causava aquele homem recém-liberto das servidões da razão. Mas não lhe fez promessas falsas, tanto mais que o Santo Ofício entrava na história.

— Vocês têm uma religião da morte que lhes infunde coragem e felicidade para enfrentá-la — disse. — Eu não: acredito que a única coisa essencial é estar vivo.

Cayetano correu ao convento. Entrou em pleno dia pela porta de serviço e atravessou o jardim sem cuidado algum, convencido de que o poder da oração o tornava invisível. Subiu ao segundo andar, atravessou um corredor solitário de tetos muito baixos, que ligava os dois blocos do convento, e penetrou no mundo silencioso e rarefeito das enterradas vivas. Sem saber, passou defronte da nova cela onde Sierva María chorava por ele. Estava quase chegando ao pavilhão da prisão quando um grito às suas costas o deteve:

— Alto!

Virou-se e viu uma freira com a cara coberta pela mantilha e um crucifixo erguido contra ele. Deu um passo à frente, mas a freira o barrou com Cristo, gritando: *"Vade retro!"*

Atrás dele ouviu outra voz: *"Vade retro!"* E logo outra e outra: *"Vade retro!"* Girou várias vezes sobre si mesmo e sentiu que estava no centro de um círculo de freiras fantásticas de caras cobertas que o acossavam com seus crucifixos, aos gritos:

— *Vade retro, Satana!*

Cayetano chegou ao final de suas forças. Foi posto à disposição do Santo Ofício e condenado num julgamento em praça pública que lançou sobre ele suspeitas de heresia e provocou distúrbios populares e controvérsias no seio da Igreja. Por uma graça especial, cumpriu a condenação como enfermeiro no hospital Amor de Deus, onde viveu muitos anos em promiscuidade com os doentes, comendo e dormindo com eles no chão e lavando-se em suas águas usadas, mas não conseguiu, como desejava, contrair lepra.

Sierva María o esperou em vão. No terceiro dia, deixou de comer, numa explosão de rebeldia que agravou os indícios da possessão. O bispo, transtornado com a queda de Cayetano, pela morte indecifrável de padre Aquino, pela repercussão pública de uma desgraça que escapou à sua sabedoria e ao seu poder, reassumiu os exorcismos com uma energia inacreditável para a sua idade e dado o seu estado de saúde. Sierva María, dessa vez com o crânio raspado a navalha e metida em camisa de força, o enfrentou com uma ferocidade satânica, falando em línguas ou com uivos de pássaros infernais. No segundo dia houve um bramido imenso de gado em fúria, a terra tremeu, e se tornou impossível pensar que Sierva María não estivesse à mercê de todos os demônios do inferno. De volta à cela, aplicaram-lhe uma lavagem de água benta, que era o método francês para expulsar os que pudessem ficar nas entranhas.

A perseguição prosseguiu por mais três dias. Embora sem comer havia uma semana, Sierva María conseguiu livrar uma perna e desfechou com o calcanhar um golpe no baixo-ventre do bispo, que o fez cair. Só então descobriram que pudera se soltar porque seu corpo estava tão descarnado que as correias não o prendiam mais. O escândalo aconselhava interromper os exorcismos, e assim entendeu o Cabido Eclesiástico, mas o bispo se opôs.

Sierva María não soube jamais que fim tinha levado Cayetano Delaura, por que ele não voltou com sua cesta de doces dos portais e suas noites insaciáveis. No dia 29 de maio, sem ânimo para mais nada, tornou a sonhar com a janela dando para um campo nevado, onde Cayetano Delaura não estava nem voltaria a estar nunca. Tinha no colo um cacho de uvas douradas que tornavam a brotar logo que as comia. Mas dessa vez não as arrancava uma a uma, e sim de duas em duas, mal respirando na ânsia de acabar com o cacho até a última uva. A guardiã que entrou com a incumbência de prepará-la para a última sessão de exorcismos a encontrou morta de amor na cama, os olhos fulgurantes e pele de recém-nascida. Os fios de cabelo brotavam-lhe como borbulhas no crânio raspado, e era possível vê-los crescer.

Este livro foi composto na tipologia Minion Pro
Regular, em corpo 12/17, e impresso em papel
off-white no Sistema Cameron da Divisão
Gráfica da Distribuidora Record.